U0944060

萧乾 主编

**新编文史笔记丛书**

第三辑

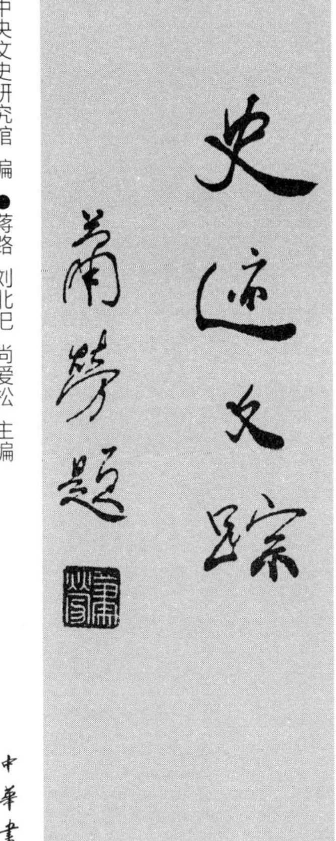


◎中央文史研究馆 编

●蒋路 刘北汜 尚爱松 主编

中华书局

# 目录

新编文史笔记丛书

## 往事篇

## 杂记篇

新编文史笔记丛书

# 序

萧乾

读书界向来对野史有所偏爱。野史大多是信手拈来的历史片断,且往往出自亲历者之手。文直事核,不虚美,不隐恶,而文笔潇洒自如,意味隽永,自然朴实,篇幅不长;可以摊开来仔细咀嚼,也可供茶余酒后、行旅倥偬中,随手浏览。

鲁迅在《华盖集》中,曾几次对野史表示过好感。在《忽然想到》一文中写道:"历史上都写着中国的灵魂,指示着将来的命运,只因为涂饰太厚,废话太多,所以很不容易察出底细来。正如通过密叶投射在莓苔上面的月光,只看见点点碎影。但如看野史和杂记,可更容易了然了,因为他们究竟不必太摆史官的架子。”又在同书《这个与那个》一文中说:“野史和杂说自然也免不了有讹传,挟恩怨,但看往事却可以较分明,因为它究竟不像正史那样地装腔作势。”

全国文史研究馆所编的《新编文史笔记》丛书,内容也属野史杂说的范畴。我们希望这些以亲闻、亲见、亲历为主的轶事掌故、琐闻杂记,写人、事而摒除误会曲解,述历史而符合真实面目。

作为一种短隽有味,文字清奇而又雅俗共赏的文学体裁,笔记在中国具有悠久的传统。它始自魏晋,盛行于宋代。南朝刘义庆的《世说新语》,北宋沈括的《梦溪笔谈》,南宋陆游的《老学庵笔记》,明朝张岱的《陶庵梦忆》,清朝纪昀的《阅微草堂笔记》以及20世纪30年代初丰子恺的《缘缘堂随笔》,都是文学史上的奇葩。然而,近年来笔记乏人问津。因此,我们出这一套书,也包含着挽回颓势之意。

全国三十二所文史研究馆拥有雄厚的稿源,两千多位馆员和各馆联系的社会人士,都是丛书的撰稿人。他们都是文史界的耆宿,见多识广,阅历丰富:有的反对过帝制,有的在“五四”运动中扛过大旗,他们目睹过军阀的横行霸道,也经历过艰苦卓绝的八年抗战。这些历尽沧桑的饱学之士,他们的所见所闻,都是弥足珍贵的史料。

本丛书分辑出版，分别由各地文史研究馆编辑，内容亦以本乡本土为主。因此，各册势必具有浓厚的地方色彩。

本着笔记固有的传统，所收各文题材不嫌庞杂。举凡与文史有关的政治、经济、军事、文化、社会等方面，或记闻见杂事，或叙往昔交游，或忆社会百态，均在搜罗之列。时间跨度则自清末以迄1949年为止。这正是中华民族从闭关自守到走向世界，从落后羸弱到奋发图强，是天翻地覆、风起云涌的大半个世纪。其间，发生过多少可歌可泣的事迹，涌现过多少杰出的人物。以这一时间跨度为背景题材写出的笔记作品，必然是内容最为丰厚的。

在选稿标准上，我们坚持史料一定要真，内容要新；既要防止以讹传讹，也力避炒冷饭。在写法上务求短小精悍、生动活泼。每篇以千字为度，希望借此在文风方面，提倡一下简约。在版式上，则想做到既利于阅读，又便于携带。

恳切希望文史界方家及广大读者，不吝赐正。

# 蔡元培轶事

顾颉刚

圣陶(叶圣陶)述蔡孑民先生在沪上演说,提倡职业与美术有云:“物有美感,则业生恒心。”又曰:“蔡孑民先生演说,声音颇低,而能出人意外,入人意中。”又曰:“蔡先生自欧洲归,有书四十簏。”

王季常曰:“蔡先生不能法语, 逊于英、德文,惟尚能解听。在巴黎日,衣工人粗服,虽赴会,不改也。人或传先生主教学校,实无此事。盖先生非留学,实游历耳。”

缉熙(吴维清,北大同学)曰:“蔡先生在本校开教授会，对于外国教员，不便应答，聘翻译者联之。”

君武(狄福鼎，北大同学)曰：“先生于唐内阁解组后，辞归沪上(唐绍仪组成新内阁，蔡氏被任为教育总长。临时政府撤销后，蔡屡请辞职，未果)，贫甚。一日，贾季英等往访之，时盛夏，先生方穿坎肩，临盆洗汗衫。

## 民国初年北大教授

顾颉刚

正甫曰：胡仁源欲请刘光汉(师培)为中国哲学门教员，刘曰：“除非每星期二点钟，每月五百元则就耳。”余曰：“彼究不及谭鑫培。使鑫培登台，每月八次且二千四百元矣。”

堂堂大学校，只以中材充教员，一二负时望者又有恃而不愿就，学术其能昌乎？余观刘光汉之学亦只以记诵掇拾见长，沟通大义非所责矣。盖观物之变，洞察上下，非以哲学为根底不可，起顾中国，谁则任之？第一流有太炎先生，第二流有严复、康有为、梁启超等。

# 章太炎弟子

顾颉刚

为璋(练为璋,苏州中学同学)来云,太炎先生(被袁世凯)禁锢二年,弟子之常过从者,如黄季刚、钱中季、胡以鲁、沈某(当系沈兼士或沈尹默兄弟)等,不过五六人,往往终日谈学艺,故此五六人极得益处。苟不禁锢,即无此闲暇矣。

又云,黄季刚有大志,常欲背师特立一宗。

陈伯弢(名汉章,时任北京大学哲学门教授)先生曰:章太炎弟子,能知其师说之非是者,独一黄季刚。黄君尝曰,太炎先生出书太早,故未能纯也。

太炎先生弟子,掌教学校者甚众。即以北大论,有黄季刚、朱逷先(希祖)、康心孚(宝忠)、陈百年、钱中季、许季巇(寿裳)及已故之胡仰曾(以鲁)诸先生矣。预科教员,如马幼渔(裕藻)、沈兼士及余所未受业之沈尹默、林攻渎(损),皆衍太炎先生之学派者也。教师既如此,学生凡略习文、哲诸科者,无不备章先生文集,洵其盛矣。闻日本人慕先生学者甚多,大学中立章太炎哲学之目,以供专研。美充于内,神发乎外,无位而为学主,天下归之,自孔子以来,未有若此者也。

# 章太炎晚年的爱国精神

尚爱松

自1931年"九一八"事变发生后,东北三省沦陷,华北危急,中华民族正处于水深火热之中,而蒋介石、汪精卫却忙于内讧,不抗日御侮。对此,国学大师章太炎先生气愤异常,骂他们一个是秦桧,一个是石敬塘,都是在卖国媚敌。1932年2月,太炎先生又亲来北平,劝张学良将军抗日,劝吴佩孚勿为日寇所诱(劝吴事闻自黄耀先师与彭八百先生)。又听先表姑卜惠英、张静秋二先生说:"章先生曾到北京师范大学演讲,当时我们是师大学生,听众很多。先生口音甚重,听不太懂,但可知其大意为勉励大家努力读书,杀敌救国。最使同学们惊奇的是,章先生中坐,黄季刚、钱玄同、吴承仕、马裕藻四位先生侍立两旁,并轮流代章先生在黑板上写字。文史系的同学都知道,黄、钱、吴、马这四位老师是'教授中的教授',可见,章先生地位的崇高了。章先生这次是为了爱国,特来北平的。"

黄季刚老师这次是从南京随侍章先生来北平的。听黄耀先老师说,季刚教授见了钱玄同教授就骂道:"钱二疯,你为什么背叛老师,信了康有为的今文经学?你为什么要自渎(原话粗野难

录)?"等等。钱教授也生了气,说:"你管得着吗?"说着,两人便要动手对打。章先生赶忙出来劝架,先说了几句日语(大意是我们都快要做亡国奴了),以后又用汉语说:"你们之间的纠葛,暂时不用提了,还是先合起来打日寇吧。"

1932年三四月间,章先生在北平写了一信给蒋介石、汪精卫,拒绝出席他们召开的"国难会议",揭穿他们"攘外必先安内"的亡国方针,责备他们召开此会是意在"分谤"。并指出国际联盟之不可信赖,"军贵神速,能断(抗战)则一言而可,不必开会"。

章先生声援过马占山将军的抗日和学生的请愿运动,还称颂过十九路军和宋哲元将军坚决抗战。尤其难得的是,在1932年4月,当举国共骂张学良将军不抵抗时,章先生却能谅解张之苦心,曾说过"张学良始则失地,今幸固守锦州,亡羊补牢,可称晚悟",并指出:"粤派必欲惩办张学良,此……乃为日本驱除,其心殊不可测。"1933年3月,章先生又发表了《致全国军民电》,揭露蒋介石"勇于私斗,怯于公战",顽固坚持反共政策。因此,"应请以国民名义,将此次军事负责者(主要指蒋)……以军法判处"(电文1933年7月在苏州《明报》发表,但直斥蒋之文字,却被删去)。1933年4月,蒋介石曾托张继利用旧交关系,请章先生"勿议时事",章先生却回信把这个盟弟张继痛斥了一顿。1934年,蒋又托丁维汾送章先生一万元做为"疗疾费",先生即

用此款创办章氏国学讲习会，欲“永远保存国粹，作民族主义之所托”。同时怒斥蒋政权已走上穷途末路。这时期，蒋正在提倡学习曾国藩，先生更指斥他效法曾之“攘外必先安内……怯于御敌而勇于内争，此正今日之大忌”。

章先生卒于1936年6月，据王基乾《忆余杭章先生》文，知先生“卒前，每周必讲学三次……不足，则按日约同人数辈，至其私室，恣意谈论……倾诚以告……病发逾月，卒前数日，虽喘甚不食，犹执卷临坛，勉为讲论。夫人止之，则谓：‘饭可不食，书仍要讲。’”这也是先生爱国精神的另一种表现。

鲁迅先生于章太炎先生逝世后，曾抱病写出《关于太炎先生二三事》一文，赞扬先生的爱国精神。又章先生的弟子吴承仕教授亦曾于先生逝世前四月，写出《特别再提出章太炎的救亡路线》一文，赞扬先生的“民族意识是最敏感、最坚固、最彻底的”。吴笔名林少白，文见1936年《盍旦》第一卷第五期。

# 章太炎晚年论学数则

尚爱松

章太炎先生晚年支持办中医学校，出版中医杂志，写过近百篇探讨中国医学的论文、书信和札记。他提倡中西医学应互相尊重，取长补短，决不能对中国医学“弃如土苴”，但也不否认中国医学不如西方医学之科学性强，应该“舍瑕取瑾”。其代表作为《论素问灵枢》，所论虽尚有可议之处，但总的来说，对中西医的互相学习与结合问题，看法大致还是正确的。六七十年前，当时有傅斯年等多人攻击中医，而先生独提出应弘扬祖国医学之论，殊堪敬佩。故刘成禺先生云“先生晚年与人讲音韵训诂，不甚轩昂”，“又常自诩其学，以医学为第一”。

对于甲骨文改变看法的问题，先生逝世后，其弟子姜亮夫与孙思昉二先生于1936年后曾往复致函，辩论师说真谛，惜均未辩明。时至今日，世之论者仍以先生不相信甲骨文字为先生病。甚至先生之再传弟子、著名学者如刘赜、黄焯二位先生亦多言先生怀疑甲骨文。实则，许寿裳教授于1944年所著《章炳麟传》中已言明先生对于甲骨文是始疑而终信，许说：“先生晚年看了这些创获(孙诒让、王国维、罗振玉之作)，亦

改变前说，认为甲骨文是可靠的。对于罗振玉的著作曾说‘亦有可采之处’，其所谓‘君子不以人废言’，惜乎此意未及写出，遽归道山……今还……援引先生早年《理惑论》之句以疑契文者……未免可笑了。”许教授是很正直的人，又是先生之入室弟子，语必可信。

章先生于1935年在讲习会上讲授《文学略说》时，对于我国文章之发展与演变，历代文章家之长短高下，各种文体之特点与作法，散文骈文之分合异同以及唐宋古文八大家应扩展为十七家等问题之论述，均甚卓异闳通。此论去今已近六十年之久，而治中国文学史者尚多见不及此。

又，先生早年作过白话诗，亦作过近体诗。中年以后，在诗赋方面薄唐宋以降，作诗虽不多，但主要是五言古诗。他认为“四言风雅以后，菁华既竭，惟五言〔古〕犹可仿为，可用以专写性情”(见《自述学术次第》)。在1932年，那时先生六十二岁，路过天津，曾对人言：“吾生平论诗，无火气亦好，有火气亦好，独不喜无病而呻耳。”言毕并自书五言今体近作二首。友人谓“其一气鼓荡，兼襄阳(孟浩然)、太白(李白)之胜，得之考据家，尤为希有”。据此可知先生晚年既作过高妙的近体诗，平生又有甚为正确的诗歌理论。研究先生者不可不知此事。

# 章士钊的几件事

尚爱松

章士钊(1882—1973)解放后曾任中央文史研究馆馆长。论文、论学,终生服膺唐代柳宗元。柳宗元享年四十七岁,而章先生享年九十二岁,倾佩若此,可谓古今罕觏。

章士钊先生一生先后以青桐、秋桐、孤桐自号。盖早年读书长沙故乡老屋,其庭前有桐树,以桐有直德,且喜白香山诗“一颗青桐子”之句,因自号青桐子。其后,黄花岗起义失败,先生与其挚友杨守仁同客英国,杨自恨不得参与起义,乃发愤蹈海自杀。先生黯然神伤,感于秋雨梧桐之意,遂易号为秋桐。其后,段祺瑞执政时,先生任教育总长兼司法总长,因触时怒,世多骂其为“摧残教育,阻挠爱国”,尝吟白香山《云居寺孤桐》诗:“直从萌芽拔,高见毫末始。四面无附枝,中心有通理。寄言立身者,孤直当如此。”自云:“孤桐、孤桐,人生如此,尚复何恨?”因易号曰孤桐。先生三次自号之来历也以此。

章先生于《甲寅》杂志复刊后,曾著文论当世之三名人吴稚晖、梁启超、陈独秀云:“近世革新,分立宪、革命、共产三期。以梁先生尸立宪,吴先生尸革命、陈先生尸共产,允为适当之代表人

物。之三人者,各有所长,亦各有所短。以物为喻,稚晖……已既绝势位,复无何种作政纲领,惟于意之所欲击之者击之耳。盖如盘天之雕,志存击物,始无所不击,终乃一无所击,回旋空中,不肯即下。任公(梁)者,知更之鸟也。凡民之欲,有开必先,先之秘息,莫不知之,且凡所知,一一以行,乃致今日之我纷纷与昨日之我战而无所恤。独秀则不羁之马,奋力驰去,言语峻利,好为断制,性狷急不能容人,亦辄不见容于人,为马克思之学说以自宠异,回头之草弗啮,不峻之坡弗上,尽气途绝,行与凡马同踣……"吴、梁、陈三人均早已去世,今日评论此三人:吴稚晖一生确实是诙诡谲怪,语无伦次;梁任公一生确实如其自评,无论治学与从政,均不惜以今日之我与昨日之我交战;陈独秀之政论,忽而极左,忽而极右,最后被共产党除名,郁郁而殁。章先生于1925年前后,在三人生前即作此评论,大略洞烛无讹,可谓远见深识。

章先生的文章,秀健峻洁,虽议论纵横,而条理井然。其于书法,早年不甚擅长,晚年则甚精于行楷与隶书,气质内敛,雍容醇正。所以致此之故,据其自云:"(汪)衮甫先尊君荃台先生之墓碑,太炎先生所撰。君(衮甫)谓:碑出二章,堪称双美,坚以书丹相属,余逊谢不得。君(衮甫)疾革,亦遗嘱吾兄弟(章太炎、章士钊二先生早年拜盟)分任碑事,此诺不得不践,愧负何极。年来不废临池,正复为此。"按:汪荃台先生,苏州人,文章学望,名重一时,因谏阻袁世凯称帝,乃撰《致筹安会与杨度论国体书》,此文得誉极高,传遍南北，论者谓与梁启超之《异哉所谓国体问题者》为两大至文,荃台之文,深雅且或过之。其子汪荣宝字衮甫,亦曾谏袁世凯勿改变国体;清帝逊位诏书末“岂不懿欤”四字即衮甫所加;民国肇兴,亦曾参与撰制国歌;郑孝胥任伪满洲国总理,衮甫曾赋诗劝郑辞职。北洋政府与国民党政府时,汪荣宝(衮甫)任驻日公使,曾于“九一八”前多次密告政府，日本将要对我国发动侵略战争,并论日本如发动侵略战争,必然败亡。而政府不省。学行识见若此,堪称俊奇,衮甫卒于民国二十四年(1935),章太炎先生为撰墓志铭,故以年岁推算,章士钊先生勤于临池,不负亡友,当在中年以后。汪公父子,均令人敬佩,兹故详为之记。

章士钊先生任段政府教育总长时，曾镇压学生运动,好友沈尹默先生等曾与之绝交;鲁迅先生、徐旭生老师等对之极为愤恨。后此多年,章先生亦深自悔恨,曾向沈先生道歉认罪,遂和好如初。闻章先生退政后曾营救过李大钊先生;抗战胜利后,国共谈判时,先生曾示意毛主席宜早离重庆，免遭蒋政权毒手；最近看电视更知道,章先生任教育总长时,曾批发巨款,使许多有志青年赴法国留学，后来其中有多人参加共产党。“人生实难”,章先生可谓善补过者。

章先生于抗战期间与柳亚子、沈尹默、乔大壮诸先生及汪旭初(衮甫胞弟)、汪辟疆二位老师切磋文艺，过往甚密。1942年，汪辟疆老师告诉我："十八年前我的《光宣诗坛点将录》最先是在章老虎办的《甲寅》杂志上发表的，现在还得要继续订补。章老虎最近有诗寄我云：'期君重建诗坛日，我与汪伦(汪旭初)傥见甄。'他的诗作得比从前好多了。最近寄来许多论近代诗家的诗篇，还注释了很多难得的文坛掌故，我当然要考虑他的要求。"蒋维崧、黄墨谷二学长也曾见告："在重庆时，章先生、沈先生词填成后，常请乔(大壮)先生斟酌字句。"老辈交亲，真堪企羡。

《光明日报》1962年8月29日发表章士钊先生《清末旗人三外交大员杂识》一文，其中提到，曾纪泽"或谓系被旗人庆常下毒致死，庆常即不敢回国，闻与此一情节有关"；又言：清末旗人贵官有"以李鸿章、张之洞为闯、献者"，意谓清将亡于此二人之手，如明之亡于李自成、张献忠者然。真奇闻也，亦异闻也。章先生享年高，历事多，见理深，我们希望所著能早日整理、刊印成书，当大有助于治近现代史者。

# 我所知道的李石曾

尚爱松

1942年到1949年，我在国立北平研究院工作，院长李石曾因长期在国外居住、活动，院务均由副院长李书华全权代理。八年以还,院中诸同仁时常谈到李石曾,现在零星摭拾旧闻于后。

李石曾,河北省高阳县人,清末军机大臣李鸿藻之第三子,名煜瀛,字石曾。儿时,俊秀颖异,闻慈禧太后见之,曾喜而抱置膝上。及长,思想进步,追随孙中山先生进行革命活动,坚决反满。闻辛亥革命胜利,清室逊政诏下,其长兄在楼上抱着清帝牌位恸哭,他则在楼下燃放鞭炮以示庆祝。后留学法国,研究化学。开豆腐公司,宣传素食,期警世界各国应和平相处,不应弱肉强食,至于信仰,暂时是三民主义,终极是无政府主义。在段政府时期,为了支持学生运动,他曾当面与章士钊争吵,他长期办理庚子赔款事宜,资送我国学生赴法、比等国勤工俭学。李石曾在法国久居,并经常奔走欧、美、亚各国,筹办《世界学典》,希望通过文化交流,促成世界大同。他自言终身不仕,与蔡元培、吴稚晖、张静江并称为国民党中不做官的"四大元老",学术界更誉称"南蔡北李"(最近听冯法祀教授说,1930年徐悲鸿创作之著名《田横五百士》油画中之田横描绘的即是李石曾的形象)。宁、汉分裂时,他与国民党几个元老促成宁、汉合流。他还利用在北方的特殊声望与影响,先是出谋划策,请冯玉祥将军限期驱逐溥仪出宫,后又劝张学良将军易帜为青天白日旗,促成中国形式上的统一。1931年,蒋、汪分裂,李又与张继等电汪,要求汪蒋议和。蒋介石对李甚为感激。据云,蒋曾告诉

李:因为有更年长的元老在,除国民政府主席与军事委员会委员长外，其他高官显职，听凭自择。表面上,李都谦辞不就,但却安置他的部下做了行政院九个部中的两三个部长，副部长或副秘书长，李书华任教育部部长，即在此时。1928年，李石曾与蔡元培先生倡大学区制,此后,蔡任中央研究院院长,李任北平研究院院长(除南京外,各省市只此一个研究院)。在北方,如国立北平大学、北京师范大学、故宫博物院、中法大学、劳动大学、北洋工学院、孔德学校、温泉中学、农业试验场,以至某一银行及社会事业如世界学社、世界文化合作中国学会、天然博物院、远东生物研究所、戏曲音乐研究社、程砚秋剧团等,均在其势力范围之内,故顾颉刚先生告诉我说:“当年北平挂李石曾招牌的，不下二三十个之多,有人背后还称李为‘北方王’。”后来,国民党上层内讧,由张继出头,告发故宫博物院院长易培基盗宝,案情巨大,李之侄、易之婿李玄伯亦牵连在内，二人均遭通缉，避居上海租界,李石曾的声势随之大降,最后,只剩下国立北平研究院和中法大学等几个学术机构，勉强支撑局面而已。1942年,徐旭生老师云:“故宫盗宝案实在是个冤案。张继后来很后悔,亲自对我谈过,‘很对不起李石曾’。”易培基、李玄伯蒙冤受屈,被通缉二十余年,全国解放后,曾任故宫秘书的吴瀛先生(祖光之父)撰《故宫盗宝案真相》,始为辩白清楚,不过,此时易、李翁婿二人

早已亡故多年了。

抗日战争末期，李石曾曾回国一次，在昆明召开了一次北平研究院学术会议。闻徐旭生老师云，李石曾告诫过李书华："一，北研的科研事业一定要为抗战救国做出贡献；二，要与中央研究院、各著名大学，主要是西南联大取得密切联系，以扩大学术影响；三，我本人在国外奔走，反对德、意、日的侵略战争，促进世界和平，办好《世界学典》，促进世界大同；在国内亦需得到蒋介石、吴稚晖诸君的支持，所以，我在国外办了吴稚晖大学，在国内，你也得与他们拉好关系。"果然，李书华在抗战后期作了一篇《吴稚晖传》，又兼任了中央研究院总干事(中研不设副院长)。

1946 年，我第一次见到李石曾时，他已六十多岁，身躯不高，很有风度。学术会议由他主持，应邀到会者有蒋梦麟、吴有训、叶企荪、郑万钧、孙云铸等十余位院外著名科学家。吴有训先生的发言我记忆犹新，吴说："科学经费太少了，都怪中央不重视我们，请李先生(石曾)直接向委员长谈谈。"李拈须点头微笑，气度雍容。

1948 年夏，李石曾又回国，先到南京，报载，他曾向蒋介石建议，赶快让出长江以北，退到南方，努力实行孙先生的三民主义，主要是民生主义，做出成绩后，再北向与共产党一争天下。识者认为，这既是空想，又是嘲讽。不久，李来北平，在中南海怀仁堂开了三天学术会议，北平著名学者几乎皆被邀请，会后，即大事聘请北平研

究院学术委员,全国著名学者(主要是自然科学家)几乎皆在聘请之列(在抗日战争前,北研即在院外甚至国外聘请特约研究员，但为数不多)。1956年,中国科学院制订的学部委员制,可以说就是由他倡始的。

李石曾也擅书法，今故宫博物院神武门上五个大字“故宫博物院”系“文化大革命”中郭沫若先生所书,但是以前的乃李石曾所书,气势磅礴。或传,此系集颜真卿字,然后放大者,实则,传之者妄也。回忆1942年，徐旭生老师说过:“1924年11月,李石曾主谋,由冯玉祥将军出面驱逐溥仪出宫后,李负责善后,极为兴奋。1925年10月,紫禁城改为故宫博物院,当时特为李制一大笔,以写‘故宫博物院’五个大字。徐师又云:“李之长兄亦精颜体，曾伪造钱南园书骗大书法家翁同龢,翁鉴定为真迹,李之长兄始说:‘对不起,老伯,这是小侄写的,’”家学如此,师言当属可信。又今北京动物园内,中国科学院植物研究所楼上石刻“陆谟克堂”四个颜体大字亦系李于北研初建此楼时所书,可为佐证。李亦擅长行书，我曾见过他写的两副对联，亦劲逸可观,一为复制品,一系书赠著名植物学家刘慎谔者。

李石曾1956年定居台北,1973年病逝,享年九十三岁。

# 我国第一代数学家何鲁

黄墨谷

1912年，何鲁先生作为我国第一批勤工俭学生之一，到达法国，考进里昂大学，1919年获数学硕士学位。他以阐明"由一种变数发展到各种变数"的理论，蜚声世界数学之林。然而深造的机会、大学的聘请，都无法减弱他回归祖国的决心。他认为只有培养出众多的人才，才能拯救华夏于水火。从二十五岁回国任东南大学教授，至七十九岁逝世，他一直为发展我国数学而辛勤教学与著作。著名科学家华罗庚、严济慈、吴有训、钱三强、赵宗尧、余心谋、柳大纲等，有的出其门下，有的曾得到他的提掖。数学家华罗庚的成名著作《堆累数论》写成后，旧中国教育部竟无人能评审。何鲁先生在盛夏的重庆一幢小楼上挥汗审阅，不时拍案叫绝。审阅完毕，不仅作长序介绍，还以"部聘教授"(当时全国只有六位部聘教授)的声望，建议教育部给予华罗庚数学奖。这是旧中国颁发的惟一学术奖。

何鲁先生不惟重视高校数学教育，培养高级数学人才，还致力于普及数学。他以古稀之年，还计划撰写从初等数学到高等数学的"自学数学丛书"，可惜未能终篇而逝世。

# 徐旭生与陈独秀、梁漱溟等议政论学

尚爱松

1942年,徐旭生老师对我说:“去年,我由川返滇,途经江津,特访陈独秀先生。当时,仲甫(独秀字)正治古代史与古文字学。作介者为台静农与陈之学生、我的内侄女婿魏建功(魏时任白沙女子师范学院教授,解放后,曾任北京大学副校长),我与仲甫虽同在北大,却不甚相熟,相别数十年,不料,这次未寒暄几句,即因我们二人同治古代史,看法不一致,他便大刀阔斧地与我争论起来,我也寸步不让,相对大嚷大吵。当时,建功很紧张,怕我们两个老头子打起来,赶快乱以他语,此事遂息。我俩旋即平心静气地共论天下事。当时苏联正在危急之际,美尚未参战,仲甫说:‘苏联决不会亡,一因我了解斯拉夫民族的性格,二因苏联人民对共产党的向心力强。’并说:‘未来世界的前景大约将是美、英的对立,但都得要拉拢苏联。’我说:‘中国、苏联都不会亡,希特勒的命运一定长不了,但未来世界之前景将是美、苏之对立。’仲甫极重感情,谈了两日,第三日还特地步行数里,送我上船。”大约在

1943 年秋，陈先生逝世后一年左右，《大公报》发表了他的文章，题名大概是《论大战后之世界前途》，文分上下两篇。上篇二三千言，中心论点为战后的世界不是美、德长期对立，便是美、苏长期对立。下篇未发表，版面上异常地出现了一大片空白。知其内幕者谓，陈文下篇的中心论点为德、意、日必败，大战后之世界前景必是美、苏之长期对立。当时国民党实忌苏联，故审查时禁止下篇发表。此后，徐老师曾对我说："仲甫之论，吾早即知之，是否接受了我的看法，惜其人已故，不能重起而细问之。仲甫可谓有远见卓识者。"又闻陈先生晚年学术研究成果，全被偷儿窃去，徐老师对此，深感惋惜。

1945 年冬，国民党撕毁了"双十协定"，内战大起，徐老师终日唉声叹气。一日，我正侍座，梁漱溟先生来访，身上是长袍、坎肩，脚上是白袜，僧鞋。徐、梁寒暄数语，即共谈中西文化问题。梁先生说："几十年前自己之看法至今未变。"又说："最近拟赴延安见毛泽东先生。"徐老师说："我研究中西文化比较，重视历史背景。听说毛先生熟读《资治通鉴》，深通古今之变，先生对这方面的学问，亦宜多加留意。"梁先生点点头，未再说什么。我们送走梁先生后，徐老师说："梁先生极有性格，他的尊翁也是位奇人，他本来反对清朝统治，清亡后，他老人家看到北洋军阀政府更加腐败，遂愤而投入门前积水潭中自尽。坊间尚可见其所著《桂林梁先生遗书》。"

徐老师与汤用彤教授亦系至交，记得汤老两次来访徐老师，我均侍座。一次约在1943年，谈到不久前《大公报》发表了向达教授《论敦煌千佛洞的管理研究及其他连带的几个问题》，师命我找出此文，汤老略看后，即曰："不久必将有有心人去敦煌专治此学。"果然，不久常书鸿教授即去敦煌长住。汤老的另一次来访约在1944年，与徐老师谈到钱穆先生，二老都认为，钱先生之学殆已有过于梁任公，可惜近来常用其所短，在《思想与文化》杂志上大谈中西文化之比较。旋又论及章太炎先生，徐老师说："章氏体大思精，经国知远，为三百年来所罕见，较清初顾、王、黄亦不稍逊。"汤老点头称是，惟言："惜章先生关于佛学的著作，时有可议之处。"其后不久，我找到熊十力先生著《十力语要》，以章氏(太炎)论佛学略有所缺，"虽然，渊哉博闻者，其人也；大雅君子哉，其人也"，我即呈徐老师一阅，师阅后非常高兴。

又徐老师与冯友兰教授是河南唐河同乡，又有亲戚关系，抗战期间，常见二人互相访问，论学道故。冯教授著《中国哲学史》初版时，原附有陈寅恪、金岳霖二教授之审查意见。约在1943年，冯著略作修改后准备重行出版，冯曾特请徐老师与汤用彤教授加写审查意见二篇。汤老之文，我未见过，徐老师所写意见，我曾寓目，约二千字，大意除推重冯教授著作外，特别建议冯作应重视荀子、王充、刘禹锡、柳宗元、张载、王夫之等思想家之成就。可谓卓识。惜冯书未见重印,徐老师与汤教授二文亦未见公之于世。

徐旭生老师论学最尊重王船山。抗战期间,嵇文甫教授为此曾多次致函请益。师曾以嵇函示我一阅。亦附志于此。

# 徐旭生谈三大学诸校长

尚爱松

我听徐旭生老师说过:"抗日战争期间,国立西南联合大学教授阵容最强,学校办得最好,实与三位领导人能密切配合有关。梅贻琦先生有学问,会办事,尊重学者,爱护学生,长期坐镇,不离开学校;张伯苓先生是老教育家,德高望重,在重庆任国民参政会副议长,蒋政权对张很有借重之处,张能直接与蒋谈话;蒋梦麟先生亦长期留驻重庆,主要是为西南联大操心办事。时谚云:'蒋家天下,陈家党',陈立夫任教育部长为时甚久,但对西南联大无法驾驭,甚感头痛。蒋梦麟因与二陈的叔父陈其美是老朋友,利用这个关系,常到陈家吃饭,有时还常住陈家,套交情,拉关系,故陈立夫对西南联大,既不能少拨经费,又不能提出易长。"

老师又说:"陈立夫对国立中央大学也难于驾驭,甚感头痛。这个大学历史悠久,教授阵容

也很强，学生又多，但陈却有办法易长。抗战八年，中大曾多次易长。一是罗家伦先生，虽系国民党中央委员，但势力不大。罗是‘五四’健将，办校作风较民主，也很尊敬教授，爱护学生，不赞成国民党、三青团在校内公开活动，故而去职。继任者为顾孟余先生，顾与陈公博是汪精卫的左膀右臂，顾未随汪叛国投敌，听说是蒋介石特请顾继长中大的。蒋梦麟、顾孟余和我都是北大老同事，当时我任教务长。蒋梦麟任总务长、校长(顾任教务长较早)，我们都很钦佩蔡元培先生。顾孟余为人很有性格，既瞧不起陈立夫，又不全听蒋介石的话，故而去职。继任者为顾毓秀先生等，顾毓秀是工程学家、教育部副部长，却是陈立夫的红人。顾毓秀长中大时，国民党、三青团便公开活动起来，引起广大师生的反感。文学院院长楼光来先生人品高、学问好、正义感强，又与朱家骅有旧交，便特去找朱设法使顾毓秀去职。当时朱家骅任国民党中央组织部长，果然出了力，使顾毓秀去职。顾去后，国民党感到中大的事不好办，于是，校长便由蒋介石亲自兼任。他不能经常到校，便仿中央政校、中央军校的办法，于校长之下教务长之上，设置教育长一职，由朱经农担任，长期驻校办公。这样一来，更遭到广大师生的反对，认为不成体统，校外也都传为笑谈。无已，蒋、朱始行辞职，特请西南联大理学院院长、著名物理学家、中央大学老校友吴有训先生担任中大校长。”

1943年，我又听老师说过："老友沈尹默先生曾任国立北平大学校长，其书法早年已有声名，但字体颇柔媚。沈曾请陈独秀先生提意见。沈、陈二人同是名人，且系初次交谈，陈却毫不客气地对沈说：'你的字，其俗在骨。'沈闻后，悚然自失，以后才下苦功学汉魏、隋、唐，主要是力学二王，书遂大成。"据我所知，因为陈独秀在解放后长期遭到全面否定，故推崇沈书者，几无人敢公开提及陈独秀先生之所言。到粉碎"四人帮"后数年，沈、陈论谈书法之事始明。实则五十年前我即笃信徐老师之言，数十年来，且曾多次向友好道及。

徐老师又说："我任北京大学教务长并暂时代理校长时，北平艺专不受重视，归属无定。我虽不懂艺术，但因钦佩蔡先生(元培)以美育代宗教的主张，故于1931年，特与北平大学校长沈尹默先生商定，仍将艺专归北平大学领导，并推荐杨仲子先生兼代艺专校长。"(按：艺专校史称杨为院长)

## 植物学家胡先骕

尚爱松

胡先骕先生(1895—1968)，名步曾，江西人，著名植物学家。为人傲岸自负，谈话时常喜竖大

拇指，自称为“中国植物学之父”。他与汪辟疆老师是江西同乡好友，对中国古代学术与古典文学也很有研究，且能诗词，系沈子培和陈石遗二先生之弟子，既是学人，又是才士，汪师对他称道不置。他中年反对新思潮与白话文甚力，思想甚为顽固；但论古代学术亦多精到之处，评论近代诗词名家如郑珍、金和、文廷式、朱祖谋等甚为当代钱仲联教授所称道。早年参加南社，后因柳亚子先生反对“同光体”，宗趣不同，但顾全大局，不与柳辩，遂分道而去。中年，任东南大学教授时，与梅光迪、吴宓办《学衡》杂志，同胡适论战，当时有“南胡北胡”之称。二胡早年同留学美国，相友善，后因持论不同，几致绝交。抗日战争期间，在江西任国立中正大学校长。会蒋经国初从苏联归国，任赣南专员，据传，蒋到中正大学参观，校内国民党政工人员为了巴结“蒋太子”，故请胡先生出校相迎。胡答曰：“我的学问比他大，我的年岁比他长，我的地位比他高，得让他先来见我。”抗战期间，国民党在重庆复兴关举办中央训练团，训练县级至部级党政官员。约在1945年，他与中央大学校长吴有训、浙江大学校长竺可桢、西南联大常务校长梅贻琦，北平研究院副院长兼中央研究院总干事李书华等五位先生，以“名牌”院校长身份被请至该处，极受优待。休养了一个月，忽然国民党某要员持中央训练团毕业证书发给五位先生，大家始知受骗，都拒绝接受。据说，是胡先生首先怒问：“我们是国

立大学校长，谁还配训练我们？竺先生拍了桌子，吴先生撕了证书，梅、李亦很生气。”故当时有五校长大闹复兴关之传说。

在译事方面，胡先生将苏轼的一些诗歌译成英文，以飨西方读者。在中国诗词方面，常自诩所作其中有“必传”者。解放后，钱仲联教授果然在其所著《近百年诗坛点将录》与《词坛》点将录中，均将胡先生列入。

1948 年夏，北京大学校庆时，我听过胡先生的发言，他在千人广座上质问胡适“国家弄得这样糟，你适之先生为什么不说话了？”时，蒋介石正与胡适互拉关系，先生此问，可谓语惊四座。

解放前不久，见到他时，我做自我介绍，说：“是汪辟疆老师的学生，郑万钧先生的同乡小友。”他很高兴地对我说：“郑是我的学生，是个努力治学的老实人，他因发现水杉而得名，其实，这个几近绝种的植物，他没有认明，是我给他审定的。”

解放前胡先骕曾任中国植物学会会长，解放后任中国科学院植物研究所研究员。傲岸如故，不改狂态，敢说心里话，不骂共产党，但说共产党是“新墨家”等，故于 1952 年思想改造运动中列为中科院两大批判对象之一。时当夏季，他身着中式丝绸褂裤，毫不在乎，只有徐旭生老师一人发言时，他方认输。记得徐师说：“二程夫子曰：‘人生有三不幸：少年登高第，一不幸；席父兄之势为美官，二不幸；有高才文章，三不幸，你

胡先生十余岁中秀才，是江西世家，留美回国后，既是著名科学家，又是著名文学家，三者你都占全了，所以阻碍了你思想的进步。”徐师发言时，摇头捋须，言必有据，胡先生聆听时，态度大变，频频点头，还一笔一笔地记在本子上。至今，中科院老同仁犹将此事传为美谈。

解放初，中科院对他甚为优礼。晚年他治学更加勤奋，著述宏富，且大敛狂态，1962年后，报刊对此曾有报道。1965年在广西十万大山发现的震动世界园艺界的金花茶，也是经他鉴定的。他为我国植物学之建立与发展确实作出了很大贡献。

# 俞曲园趣闻

尚爱松

俞曲园先生(1821—1907)于清咸丰丁巳年(1857)出任河南学政，出题怪诞，且多割裂经文，如试陕州题曰“然则文王不足法欤”；试武陟县题曰“苟为无本”；试修武县题曰“王知夫苗乎”；试原武县题曰“鳖生焉”。尤触时忌者，如试祥符县题曰“邦君之妻曰寡”，以及“君夫人阳货欲”、“王速出令，反也”等等。诸如此类者甚多，合场哗然，几至罢考。曹泽御史即据此劾之去职。事后，先生自言当时为狐狸所祟，盖谰言也。前阅马叙伦先生《石屋余渖》云:“闻陈叔通丈言,先生出曾国藩门,国藩从肃顺荐起,肃顺诛,国藩亦几不保,先生以是恐祸及;且太平天国势尚强,故欲此去职自全耳……先生门下有王梦薇,乃太平天国探花。”余阅清史有关资料,知国藩此时且甚遭朝中大臣倭仁,祁寯藻等之忌,太平天国此时威势正盛,曲园先生审情度势,故特意谬悠其词,惹祸去官。时长沙徐树铭(即为王壬秋《圆明园词》作序文之徐树钧之从兄)亦因推荐俞任河南学政而贬官。后约四十年(光绪二十四年,1898年),徐充殿试阅卷大臣,位列第三,探花例归其擢取,故取曲园先生文孙陛云为探花,以泄当年宿郁。先生亲见文孙高中,亦科举史中一段佳话也。

曲园先生学问大,而非文章高手,故章太炎先生深惜其师“文不称所学”,然曲园先生诗作却颇生动有趣。临终“留别诗”十首,包括:家人、诸亲友、门下诸君子、曲园、俞楼、所读书、文房四友、此世,俞樾等。兹录数首,以飨读者。《别家人》云:“骨肉由来是强名,偶同逆旅便关情;从今散了提休戏,莫更铺排傀儡棚。”《别此世》云:“自寄形于此世中,胶胶扰扰事无穷;而今越出三千界,不管人间水火风。”《别俞樾》云:“平生为此一名姓,费尽精神八十年;此后独将真我去,任他磨灭与流传。”昔陶渊明临终自祭,袁子才生挽告存,又其后王壬秋作联自挽,均风流旷达,为人称道。

先生尊人名鸿渐，曾游幕中州，著《覃怀游》二卷，中有句云："聚俗人千仍是独，得知己一便为多"；又"官礼非无祸世事，申韩亦是活人书"；又"世儒眼小才如豆，但见周家有圣人"（末二句咏武庚），均系推陈出新，未经人道语，乃知先生家学，渊源有自。

先生著作宏富，时曾国藩故有门下"李鸿章拼命做官，俞曲园拼命著书"之说。先生居杭州最久，主持诂经精舍凡三十一年，培育人才甚众。其墓在杭州右台山，墓道牌坊镌刻篆书自题云："不妨姑说梦中梦，自笑已成身外身。"虽仿自僧淡白与黄庭坚，亦旷达可喜。尚有自挽之联，亦旷达为人传诵。

又，先生博览典籍，且喜旁涉稗官杂流，在清代朴学家中实为仅见，惟甚以一生未读《金瓶梅》为憾。亦附志于此，以助谈趣。

# 从王伯沆老师学诗

常任侠

我在南京国立中央大学中文系读书时(1928—1931)，受业的老师，首先是王伯沆先生，他年龄最高，而指点学生又极其亲切细致。但因年岁大，精力衰，只能选收二十个学生，我是他所选的学生之一，所作诗词散文，由他修改，获益匪浅。我当时写过两首《鹧鸪天》“花间体”小词，就是王师点定的。至今还被友人传诵。当时我爱读唐、五代人小词，即是王师诱导之力。这种作品有一种回肠荡气之音，若在宫帏筵前低唱，使人遁入似醉非醉的梦幻世界，自是人生一乐。但我后来入世渐深，饱经忧患，习于弹悲歌，趣味业已逐渐改变。

我的散文习作，也受王师的教益甚深。他指定选读唐宋以至清代人的文章，排除腐味，注重清新，自具卓见，我所保存的大学讲义，全已失去，记忆难全，其中各篇，往往是由王师独具慧眼，发掘而出，使人喜爱。我后来教学，也本着这种主张，为青年讲说。回忆我当时的感受，如坐春风。王老师这种教人育人的方法，至今难忘。

在读诗方面，他教我读唐诗，以杜为主，《杜诗镜铨》是当时随身常带的书籍。王师的诗篇，也独具唐音，任当时宋诗派风行，绝不附和。但对王安石、陆放翁却别有好感。师亦擅书法，得人爱重，但极少赠人，我至今保存着王师所写的条幅，便是放翁《细雨骑驴入剑门》那首绝句。

王老师家住南京门东仁厚里，我曾多次去拜候，那是一所旧式的宅院，非常精雅、幽寂，院中养了不少兰花，都是名贵品种，师“种花种德”，所作《种花》诗多首，寄意遥深，为人称道。

王老师的书室名双烟室，藏书丰富而精好。往年柳诒徵先生为龙蟠里国学图书馆馆长，曾聘王师襄理馆务，供职颇久。王师对于馆存善本孤本，往往手抄保存，积储颇多，如《阮圆海诗集》、《秋蟪吟馆诗抄》等，多由王师传出，流布社会。

王老师精研《红楼梦》，手批书眉上，多至十七遍，朱、墨、蓝、绿小楷，细如蝇头，语多精妙，系取活字本作底，师曾出示原书。1985 年批语已经印行问世，供治红学者研究。

闻我师故乡在溧水，青年时裘马翩翩，才华出众，为清末举人，老而精研宋明理学，讲学不倦，陈寅恪先生早年曾从王师问业。所居与周处台为近，我每去白鹭洲等处，必登师门拜候。记得最后一次是 1935 年，当时有两次诗人集会，一次豁蒙楼登高，陈石遗主持；一次玄武湖修禊，陈散原主持，我曾参加，在众人中年龄最少。豁蒙楼集会时，我分韵得“情”字，曾写五言一首，开始数语云：

一雨洗万卉，深林春鸠鸣，
览物得其趣，可以怡我情，
嘉会集少长，浩歌扬新声，
微飔入幽席，倚流望层城。

写毕不敢自信.深恐贻笑群老，王师说：“你以五仄，五平两语开首，颇不一般，可大胆送去。”我即遵师命交卷，后来此诗由曹攘衡先生印入《甲戌上巳修禊集》中，此后我去日本东京帝大进修，归来参加抗战西行，即未再见师面。1940 年我在重庆时，复返沙坪坝中大任教，中大诸师，多来后方，当时师患风痹，不能随行，年老独留南京，寇来请其复出任教，坚拒不食而死，风节凛然，永可为范。闻王老师在艰苦之中，尚作诗明志，其咏柳一绝云：

金粉飘零玉露残，城南柳老不吹绵。
也曾种植灵和里，莫作倡条冶叶看。

另有七律数首，传之中大同学尚爱松，当一询之。回思往事，师恩难忘，音容宛在，永留记忆之中。

# 记胡小石老师

常任侠

胡小石老师，浙江嘉兴人。诗宗六朝，慕学于王湘琦，书法清道人李瑞清，崇尚北魏。青年时，读书两江优级师范，习生物学。李瑞清任江苏提学使，又权江南藩司，兼主师院。中央大学校园中有梅庵，即纪念李氏。后居上海哈同花园，胡师往学，得交罗振玉、王国维诸氏，因好研殷墟甲骨文，在中央大学著《甲骨文例》，传此学独早，以证许氏《说文》，往往别出新义。黄季刚师笃崇许学，亦不能不取罗、王之书，置之案头。

胡老师在中大讲授《中国文学批评史》。我与同学苏拯，详为记录，后取苏之笔记付印。胡师授课时，且讲且在黑板录写引文，笔姿英发，同学有

专为欣赏书法而列席者。日日对临,因此笔迹近似者不少,我尝求书师在武昌所作绝句云:

黄鹤仙踪不可招,云山何事苦周遭。
江城日暮西风紧,岂独东飞是伯劳。

诗情飘逸,风韵独绝。又1940年在重庆时,师曾集句一联:

饮马长城窟,披发颍水阿。

作大书为赠。杨仲子先生并取联语镌为巨章。今此章仍在,联已被人窃去一条。

胡师以前曾任教武昌高师,与李大钊先生为至友,尝共摄一影。因为述大钊先生死事甚详,我曾据以记录,并为诗颂之。其中曾述章行严、吴弱男夫妇为大钊先生奔走事,珍闻颇不易得。解放后为行严先生九十祝嘏诗,诗中述及此事,行严询以所由知,我生也晚,其事传之者也很少,我是得自胡师的。

胡师常称日本学者研究学问,善于设题,有一新题,乃能不落恒蹊,独辟新境,并常以此教我自勉。我于1935年渡海而东,入东京帝大,继续研学,亦本胡师所教。胡师精于鉴别古器物及书画艺术,我之所好,也受胡师熏陶。

# 记吴梅老师

常任侠

吴瞿安老师，名梅，吴县人，清秀才，以制曲著闻当世，南北著名艺人，多拜其门，求正曲度。苏门故居，藏曲甚富，有百嘉室，所藏嘉靖精善本，琳琅满目，曾往拜观。

师初讲学于北京大学，得弟子任讷等宏其道，继来南京中央大学讲学，又得周士钊、龚慕兰等。我亦从之学。讲学之余，共组“潜社”，每一周二周，辄于秦淮河灯舫中，作文酒之会，压笛度曲，各制短章，共加品第竞赛，师生亲如家人，这是课堂上得不到的快乐。我来已晚，前辈多已步入社会。和我同时的有王季思、唐圭璋、唐桐荫、李吉行、李一平诸人。初由王季思经理“潜社”事务，如通知集会等。季思毕业后，由我接替。吴师年最高，少饮辄醉，吴师母信任我，命我伴出送归，这照例是我的责任。

“潜社”开始时，教授中只有吴师一人领导同学填词作曲，作成后，有时当场制谱试唱。师能吹笛行腔，工尺谨严，所以词中的阴阳八声，也适度合拍。后来教授中汪旭初先生也来参加，倡为慢词。其后又有汪辟疆先生加入，他好打诗钟。再后则黄季刚、胡小石、王晓湘和金陵大学的胡翔冬诸教授也来参加，老人人数增多，学生另行组合，因此分道扬镳，“潜社”一分为二。

记得有一次打诗钟，分咏水仙、石鼓文，李吉行同学被评为首唱。联语是：

玉柱冰弦弹雅操，周盘殷诰比奇文。

王晓湘教授次之，联语是：

唯怜北渚垂鬟立，却笑东坡画肚观。

又一次诗钟，用“一”、“他”为首字嵌字，我作的一联评为首唱，联语是：

一画开天垂象数，他山攻玉诵风诗。

又成一联是：

他人有心规酒过，一春无事为花忙。

瞿安师看后一笑说：这不过想当然耳。吴师每饭，必饮黄酒一杯，昏昏欲睡，陶然自乐，谁也不敢进言止酒。抗战时西行，他暂居湖南湘潭柚园养疴，因已患喉癌，喑不能语，我由长沙去拜候，黯然相对，无可如何。此后师再迁云南大姚李一平家，不久病逝。1940年，在重庆沙坪坝中大追悼时，曾写一联悼念，金静安为作书张之。师对我独厚，呈所作业，必为点校，追述往情，不禁挥泪。

# 忆黄侃老师

常任侠

黄侃先生字季刚，是我的拜门老师，每年春节，必往叩首致敬。所居量守庐，是我常去问学的地方。除在课堂听讲《文心雕龙》外，还到寓所问《诗》《问》《礼》，几乎无所不问。老师对书本外的琐闻，有问必答皆不自秘。记得有一次，我问《秋蟪吟馆诗》中《兰陵女儿行》句“天吴紫凤贴地满”，不知何解，先生疑我有意考他，竟不回答，怒向汪东主任老师说，常生不驯，可以开除。汪师说，常生已经毕业，留在本校教书，已经无法开除了。其实当时我所问的，乃出自我所选的课堂教材中。后来还是王伯沆老师告诉我“天吴紫凤”的出典，我查原书后才为学生讲述，我素知黄老师的脾气，以后依旧挟书前去问难，师亦待之如常。当二年级我住高师宿舍时，黄老师曾将《撷英集》诗集交我录副，后来他又叫潘重规同学向我索回，说是诗多艳体，老师后悔，不要传出。我亦未尝一询，此谜终亦莫解。犹忆我在附中任教时，师有两个幼子，要我带去幼儿园入学。当考试问话时，两儿一语不发。我便请张若南主任破格收录，否则我无法交代。幸蒙收录完成任务后，我向师报命，师说：“谁讲你的小师弟不会说话，可以当面一试。”唤来果然能把卷朗诵。两幼弟入学后，师有时往视一次，在课室上课时将两弟唤出，带他俩往动物饲养处看猴，旷课半日。后来张若南向我责难，使我无言以对，为之不安。

最后一次，我来到量守庐，那时朱家骅来接任中大校长。黄师有言，朱来我即辞职，绝不与之合作。中国文学系同学会当即推我前去挽留。师说你不应留我，你应随我同去，我到哪里，你跟我到哪里。我解释说：“中大国文系集中了许多著名的国学大师，有优良的传统，学生各有专攻，也希望兼采众长，因此同学们不愿诸师分散。我是代表学生会来的，恳求老师不要离去。”

我的话未说完，忽传新校长朱家骅已经到门拜候，黄师要我到内书室稍候。我听到朱校长诚意挽留，黄师表示可以继续任教，这才放了心，即回去告慰同学。

1935年，我去日本东京帝大进修，听到黄老师辞世，曾寄挽章隔海悼念：文园消渴，五十而殂，失此良师，深致悲感。

# 汪辟疆和汪旭初老师

常任侠

汪辟疆师，青年时代，英才出众，曾与姚鹓雏师共刊《大学二子集》，又撰《诗坛点将录》、《近代诗派与地域》等文，评骘当世群贤，有声于时。所撰《唐人小说》，尤为研究文学史者所称重。在大学所授课为目录学。我为细心记录，后用以付印。师尝鼓励写作，因著《杜诗中诗论》一稿，他交神州国光社王礼锡，为之刊印，不幸因上海战火焚毁。先生提携后进，情谊可感，约在1960年我最后一次由厦门漳州来南京拜候辟疆师时，他的一臂已不灵转，坚持用左手执笔，著述不辍，犹殷殷接待谈笑。老年师弟相聚更亲，今日回思，音容笑貌，如在眼前。

汪旭初师与黄师，并出章门。太炎先生留东讲学，弟子中有汪、黄、鲁迅、吴承仕诸人。但黄师与鲁、吴积不相能；汪师则平易近人，并皆友善。记得某次汪荣宝先生来中大讲学，论吴音、唐音之异，证以梵语、日语，与太炎之说，稍有不同。黄师即责汪师："汝从师乎？从兄乎？"颇有争执，黄师笃信章氏学，汪师不敢辩。

我从汪师学《说文解字》、《清真词》两课，曾以《说文》与《方言》互证，著为论文。最难得的是得师一言，我得跻身于大学学生之列，其后毕业时，还更受到一些辅助，永不能忘。

师早年参加同盟会，著有《法国史论》，宣传革命。在章门弟子中最以古典文学、书画艺术称重于世。吴湖帆为其书画好友，沈祖棻系其入室弟子，师晚年与章行严、沈尹默时相唱和。

# 乔大壮遗事

黄墨谷

先师乔曾劬，字大壮，四川华阳人，出身北京译学馆。精通法文，并以骈文、古典诗词、书法、篆刻名家。盖家学渊源，有所本也。先生自云，垂髫之年，则习经史、古文、文字学、书法，祖庭督责甚严。1947 年跋其所临虞世南《孔子庙堂碑》，追怀往事，凄恻动人：

"余年十岁时，自徐季海外，即肄此书，四十五年，荒芜不进。今岁扶病，偶以遣日，愈觉手生目涩，如隔世事。追惟祖庭督劝，亡室争夸，又有不忍言者矣。”

先生祖父茂萱公，清末任学部左丞，声望甚高。戊戌政变，六君子弃市，茂萱公仗义为收尸，名动京师。先生禀性孤高，颇有祖风。尝记一日，从柜中取出一黄色油光纸铅印本相示云：此唐圭璋先生所辑《全宋词》，颇有功于词林。曩者，康熙以帝王之力，集馆臣，编纂《全唐诗》，今唐先生一人，成此巨帙，而当年教育部尚踌躇未遽承印。余闻之愤甚，诣有司力争。先生说：余与唐圭璋非亲非故，又无师弟同乡之谊，乃为读书人鸣不平耳。

先生高弟蒋维崧，字峻斋，工书法、篆刻，能传先生之学，现任山东大学教授。1939年，先生将其所藏陈师曾印蜕一册，举赠蒋君，并作后记云：

> 此册诸作，皆丈在踌躕得志之时，手拓见贻。藏之箧衍又十有六年。岁月如流，不胜怅愧。峻斋笃嗜前辈制作，用兹珍重相托。诚以忧患馀生，空山投老，不得不于心知其意之贤，期永故人金石之寿也。

其爱重弟子也，如此。先生虽亦以书法名家，但无文人相轻之恶习，于书法极推崇沈尹默先生，屡荐蒋君向沈老学书。1943年，沈老手书《执笔五字法》授之，现已刊出问世。

抗日战争胜利后，余应国立重庆女子师范学院中文系之聘，教词学，因恳先生作论词书，承允诺。1947年3月,先生随中央大学东下时,遣使封书,并以朱研及手临虞世南《孔子庙堂碑》惠赐。信中列论词十讲题目:言志、比兴、境界、内转、起结、过片、提笔、对仗、引古、割爱。于词学见解深至。是岁,中大中文系发生解聘教师风波,先生以去留为被解聘教师力争,无效。旋即与许寿裳先生渡海南下,在台湾大学任教。

不料新岁,先生以《许季茀(寿裳)师挽章》及《苏幕遮》和谷音词至。此词殆先生倚声绝笔。诸作均凄厉激烈感人。

盖先生在译学馆肄业时,许老在该馆任教,故挽章称"师"。诗中之"门生搔白首,旦晚骨同灰",和词中之"拨到无声,断了何人惜",均成谶语。

1948年夏,先生北上至南京,时中大解聘教师尚有余波,蜚言谰语传至先生耳中。先生于世事久蓄愤慨,至是,遂即离都赴沪。留二诗与京中友人,有句"此行不是无期别,试向初平(屈原)觅道真"。盖先生已决心辞世矣。当时只有苏州有火葬场,固乘火车赴苏州,于7月3日自沉前留言:"速送火葬。"又留一诗与维崧君永别。

先生见旧社会政治腐朽,丧师辱国,极为不满。"九一八"事变见于诗者有"夷甫诸人浑健在,河山又异永嘉年";"借问六朝何事业,残阳又欲下台城"。"七七"事变后,全面抗战开始,有句云:"国破城春草木荒,丈夫一死要堂堂。"在重庆时送别其季女无远云:"父甘死国忧,子当作丧主。巢覆卵则完,毅魄报骄虏。"同仇敌忾之

义愤，跃然纸上。及抗战胜利，国民党政府发动内战，先生愤慨益深。现居新加坡诗人潘受悼先生诗，回忆 1948 年最后一次与先生话别之情况，有句云："颇言时政坏，收京愈骄肆。帑空杼轴焦，珠玉聚七贵。一子隶飞将，旧使贼胆悸。今责杀国人，行且及吾辈。填胸满悲愤……翁盖蓄死志。"(诗中"一子"之句，乃指先生之子，曾任空军军官，对日寇空战，甚为勇敢)

先生之自沉，诚如唐圭璋先生在《回忆词坛飞将乔大壮》一文中所云，"天下无论识与不识，莫不同声叹惋"。大壮先生博学多才，早年在北京，鲁迅请其书联"望崦嵫而勿迫，恐鹈鴂之先鸣"，今尚悬挂在鲁迅博物馆"老虎尾巴"中。与徐旭生交谊尤深。在南京，中央大学请其教词学，徐悲鸿请其教篆刻。在重庆，高文硕学如章士钊、沈尹默等，莫不与之游，对先生均甚为推重。先生自沉时，春秋才五十有六，惜哉！痛哉！

其篆刻集现已精印问世；其诗、词、书法及其他著作，尚待汇集整理；其早年与徐旭生合译之波兰显克微支《你往何处去》，抗日战争前已被收入商务印书馆编刊之《万有文库》中。

## 张醉丐的《打油诗》

吴小如

张醉丐先生是先母的六姨父，我称醉老为姨老爷(北京人称外祖父为“老爷”，与外祖母“老老”相对应；“老”俗书作“姥”)，30年代他长期在北京(当时称北平)的小《实报》副刊专栏上发表《时事打油诗》，每天一首。我1935年至1936年正在育英中学读书，几乎每个星期日都到醉老家里去玩。最近北京市政协文史资料委员会编了一部《北京奇人录》，向我组稿，我曾写成《张醉丐先生二三事》一文交卷。惟于醉老所作《打油诗》因资料缺乏而付阙如。偶与门人白化文君闲谈，他记忆力强，还记得一鳞半爪。谨以耳食之余，转录于下，作为上述拙文《二三事》的补充。

30年代在天津出现过一件不算太小的事，即施剑翘女士以孤身弱质持枪击毙反动军阀孙传芳的新闻，当时轰动了半个中国。化文君回忆道：“我读过张醉丐先生为此事而写的一首古风，长达几十句。其中精彩的两句是，‘伸手掏出盒子炮(指手枪)，照准脑袋下决心。’”

醉老在《实报》上发表的《时事打油诗》，有些全属咏民俗的竹枝词性质。其中有咏猪头肉的一首，真是地道北京风光。诗云：“吆喝熏鱼炸(小如按：此字正写应作‘煠’)面筋，老妈(谓女仆)二小(谓未成年的男仆，‘妈’与‘小’字应略带儿化音始呈京味儿)大开荤。切成薄片夸刀快，一个猪头十几斤。”

醉老为人玩世不恭，打油诗多以嬉笑怒骂

出之。但在我同他相处的那些短暂日子里，我深深体会到他是一位有正义感、同情心、爱提携后进、爱主持公道的老人。1937年卢沟桥事变后，日伪占领北平，曾一度把沙滩旧北大红楼的地下室当作拘留、拷打“犯人”的地方。醉老在一首打油诗中写有这样两语句：“名轩依旧来今雨，不见当年朱五娘。”竟被捉去关在那里受过酷刑。后因查明老人并无任何背景，总算幸免于难。其实此二句中之“今雨”，盖隐指依附日寇敌伪的所谓“新贵”；而“朱五娘”则借用更早些时候马君武先生的诗句，所谓“赵四”、“朱五”是也。其意即唤醒读者勿忘“九一八”国耻事件，故触怒了日寇与汉奸。记得解放后在北京重见到我姨老老时，老人对醉老被捕入狱事犹心存余悸，惟不悉详情。今闻化文追述，始知梗概。

# 郁达夫在新加坡

黄墨谷

芦沟桥事变后，全面抗日军兴，国内文艺界人士避难新加坡者有文学家郁达夫、画家徐悲鸿、司徒乔等。达夫先生任《星洲日报》副刊主编，并常组织讲学会，颇受当地文化界欢迎。

1942年初，因太平洋战事爆发，徐悲鸿先生和司徒乔夫妇均取道缅甸入蜀，惟未见郁达夫先生。1990年秋,余重游新加坡,晤诗人潘受,询及郁达夫先生事。潘老出示其诗作及详细附注,可略知达夫先生在新加坡之遭遇,兹录后:

怡和轩与诸友夜坐,追话郁达夫之死。

严警啼乌寇压城,当时共此议宵征。
陆游家国于诗见,杜牧江湖载酒行。
耿耿三年支万忍,迟迟一死换千生。
招魂何处收残骨,徒博虞初说部名。

附注:1942年2月,达夫自新加坡围城出走,所乘之小电船,原为洪永安备以供余与永安两家眷属用者,约定五日黎明开往邻近之苏门答腊小岛。余告知达夫及李铁民,皆欲同行。先一夕,乃同下榻怡和轩待发。达夫所携小行箧衣物数事而外,有白兰地酒一瓶、牛肉干十余块、诗韵一部,曰:舟中可唱和也。相与大笑,酒三人立尽之。达夫又言,胡愈老数人尚无以为计。余念与永安两家别购得西行船票,行期为六日。因商得永安同意,将小电船坐位尽让与之,遂分途。达夫既至苏门答腊,化名赵廉。嗣为日寇所得,命充通译。三年间,全活甚众。寇降,惧平日罪行多不能逃其耳目,又早知其人即郁达夫,乃密害之以灭口,竟无知其死

所者。

# 郑振铎买书记

黄墨谷

郑振铎字铎民、警民。1920年5月在《人道》月刊上发表随感时，署名C.T，系用西文缩写“振铎”二字，后译音作“西谛”。次年5月在《时事新报·文学旬刊》上发表文章时开始署用。郑氏福建长乐人，其为人嗜书若命，王伯祥先生曾说：“其买书之勇，世罕其匹，虽典质举债，不恤也。”

这里录郑氏的《十国春秋》卷首题语以见一斑：

> 浩劫之后，继以焚毁，古籍之存世者，鲜矣！近数日来，纸商复以重值搜罗旧书为制纸原料，各书肆对于巨帙之廉价书，皆捆载出售，实图籍之又一大厄也。予目击心伤，挽救无力。昨来青阁得中国书店存书八十余扎，亦欲售予纸商，予大愤，倾囊悉得之。此《十国春秋》，即其中之一也。伯祥兄久欲得此书，谨以贻之，亦大劫中之一小记念物也。谛三十二，四，二十七。

吴晓铃、白素贞夫妇曾告余：郑振铎先生为保护我国典籍，不使落入外国人手中，每嘱书肆商人，凡外国人给你们的书价，我加两成收购。

于是为买书，债台高筑。旧社会，每逢端午节、中秋节、除夕，债主必逼债，郑氏往往逃债到外地，留夫人高君箴在家应付书商，颇费周折。新中国成立，郑振铎先生欠书商的债务尚有很多。后重版《中国俗文学史》一书，获取稿酬，始得以还清。

1958 年 10 月 18 日，郑振铎率谭丕模等学者乘飞机出国参加学术会议。不幸飞机途中坠毁，机上十七人全遇难。当时，郑振铎先生担任文化部副部长、社会文化事业管理局局长、中国科学院考古所、文学所两所所长。先生的逝世，对中国文化事业是极大的损失。郑氏作古后，夫人遵其遗志，将所藏中外图书全部捐献文化部转北京图书馆庋藏。

郑振铎先生逝世周年时，我在文学研究所工作，奉所领导之命和几位同志赴北京图书馆查阅资料，拟抄录几则郑氏藏书的跋语、眉批，刊登报端，借资纪念。我们发现这些图书大都非常洁净。卷帙整齐，书上大部分有批语，书上的错字、错简都改正，我们都惊叹不已。郑先生不是一般的藏书家，而是地地道道的勤奋读书人，真令人敬佩。

北京图书馆已于 1963 年编出郑氏藏书分类目录六册(名为《西谛书目》，盛一函)，由文物出版社出版。1965 年，该馆又根据西谛藏书原编草目，油印五大册，分赠有关方面参考，庶几不埋没其平生爱书买书的苦心。

# 鲁迅亲自送回信

张又君

沙汀曾被誉为除鲁迅外，深刻反映了旧中国农村积弊的作家，成名前有幸得到过鲁迅的指点，人们普遍知道的是鲁迅答复他和艾芜的《关于小说题材的通信》。可是还有一事，人们却不大知道，即是收到鲁迅复信后不久，沙汀和艾芜又写了一封信，附上《太原船上》(艾芜作)和《俄国煤油》(沙汀作)两篇小说，请鲁迅提意见。鲁迅很快写了回信，认为《太原船上》写得朴素、亲切；《俄国煤油》则“顾影自怜，有废名气”。鲁迅的这一指点，对沙汀后来的创作，很有影响。沙汀把笔锋转向川北农村，也就是自己的故乡，并努力发掘农村人物的各种心态而取得很大成功，鲁迅所提的意见，显然起了作用。

当时沙汀和艾芜住在上海闸北德恩里，离鲁迅寓居的景云里仅一百米左右。鲁迅的复信是他偕夫人许广平一同送去的。据说，那天沙汀外出，由艾芜将信收下。艾芜以为来客是鲁迅的弟弟周建人先生，怎么也没有想到鲁迅会亲自给年轻作者送信。鲁迅交了信也就走了，艾芜当面失去了一次讨教的机会，而且此后也再未会晤过鲁迅先生。

## 梁启超、朱光潜称赞沈从文

符家钦

据 1980 年 7 月 17 日沈从文对金介甫的谈话，沈是在徐志摩婚礼上见到梁启超的。当时梁已是知名学者，对这位自学成才的湘西青年沈从文非常赏识，曾在朋友熊希龄面前夸奖他。刚巧熊的香山慈幼院图书馆缺少一个馆员，于是沈便开始在熊希龄底下办事。

虽然后来沈同梁只在 1926 年见过一面，但梁的确激赏这位湘西才子。阿克敦、陈世骧编的《中国现代民歌》(1936 年，伦敦版)里写过这件趣事。

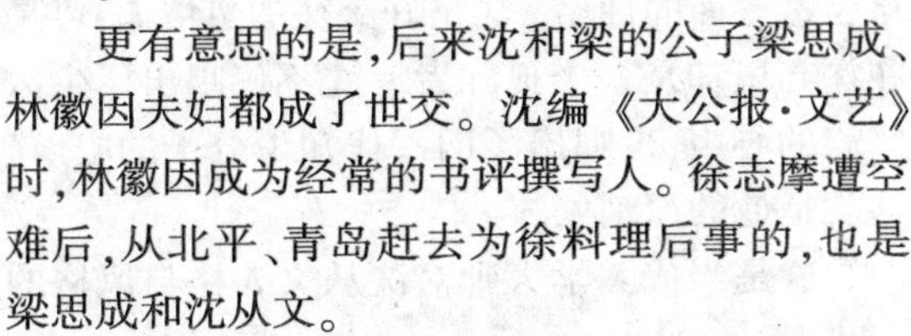

更有意思的是，后来沈和梁的公子梁思成、林徽因夫妇都成了世交。沈编《大公报·文艺》时，林徽因成为经常的书评撰写人。徐志摩遭空难后，从北平、青岛赶去为徐料理后事的，也是梁思成和沈从文。

朱光潜是美学家，沈从文是小说家，这两位文艺界名人从 30 年代起就结成亲密的友谊，有十多年同住在一个宿舍，朝夕过从。当时沈编《大公报·文艺》，朱编《文学杂志》，他们占据两片文艺阵地，团结大批作家，博得京派文人的称

赞。在军阀横行的黑暗年月里，他们能把文艺一条不绝如缕的生命线维持下来，培育出不少诗人、小说家，的确是件难能可贵的事。

朱光潜特别称道沈从文对青年作家循循善诱，有求必应的精神，说他日日夜夜为青年作家改稿子，家里经常聚集远近来访的青年，谈学习创作。沈自己对创作态度极端严肃。朱看过他改的文稿，都是蝇头小草，改而又改，东删一处，西补一处，改到天地头和边旁都密密麻麻，只有熟悉他文稿的排字工友，才能辨认清楚。朱说，这种勇于改而又勤于改的基本功，对青年作家是极宝贵的身教，“我自己在这方面就得到过这种身教的益处”。

对于沈的作品风格，朱提到其中篇《边城》，说这篇小说在世界范围内受到热烈欢迎，它写出了受过长期压迫而又富于幻想和敏感的少数民族那一股沉忧隐痛。朱说，翠翠也显出沈从文自己这方面的性格。沈是好交往的热情人，可是在深心里却是一个孤独者。沈不仅唱出了少数民族的心声，也唱出了旧一代知识分子的心声，这就是他的深刻处。

这是当代美学大师对沈从文人格与风格的

锐敏观察,可谓真知灼见。



## 沈从文爱读的书

符家钦

司徒钜勋在1950年6月25日采访过沈从文。据司徒说,沈爱读《圣经》和《史记》。沈在《沈从文小说选集题记》里也谈过:“我初到北京时,身边惟一的师傅是一部《史记》。不久才又从友人处得到一本破旧的《圣经》,很喜欢那个接近口语的译文,和部分充满抒情意味的诗篇,我得到极有益的启发,学会了叙事抒情的基本知识。”到了80年代,沈还在每天读《圣经》,是黄村生送了他一个新版本。不过沈在《建设》、《顾问官》和《长河》中都嘲笑过传教的牧师。所以在对宗教的态度上,沈和哲学家罗素的论点是相似的。

在中国翻译史上,“林译小说”曾经风行一时,当时鲁迅几乎是出一种就要买一种来读。钱钟书研究过林纾的译文,认为许多译品远远胜过原作。

沈从文1947年写了一篇散文《芷江县的熊公馆》,讲起他1920年夏天在熊希龄公馆阅读大量商务版“林译小说”的经过。他先后读了迭更司的《贼史》、《冰雪因缘》、《滑稽外史》、《块肉余生记》等几部名著，都是在大院花架旁的台阶上读完的。沈从文说："这些小说对我仿佛是良师而兼益友，给了我充分教育，也给了我许多鼓励，因为故事上半部所叙人事一切艰难挣扎，和我自己生活情况就极其相似，至于下半部是否如书中顺利发展，就全看我如何了。"

沈从文最后感慨说："我用熊府那几十本林译小说作桥梁，走入一崭新的世界，伟大烈士的功名，乡村儿女的恩怨，都将从我笔下重温，得到更新的生命。这也就是历史，是人生。使人温习到这种似断实续的历史，似可把握实不易把握的人生时，真不免感慨系之！"

# "打出幽灵塔"的白薇

郁　风

白薇是辛亥革命后到日本留学的女学生。她"五四"前夜冲出封建家庭，大革命时期"打出幽灵塔"，30 年代成为左联和剧联的成员。抗日前后是奋起疾呼，唤起民众的诗人、剧作家，而且是湘南游击队的战士。五六十年代扎根北大荒农场实干，几乎被人遗忘。她的大半生受尽了折磨、侮辱、损害，但始终孤家寡人，顽强地生活了将近一个世纪。

我认识她是 1935 年在上海。我和陈波儿、吴佩兰(当时是艾思奇的妻子)等组织了那个有蓝苹参加的青年妇女俱乐部。女作家白薇、吴似鸿、欧查都是最早加入的成员。当时我还不到二十岁，而白薇已经四十多岁，历经沧桑，一肚子都是火，遇到看不惯的事就骂，但对我确有偏爱。每次开完会，常和我散步，走完霞飞路，送我到家，一路上讲我做得对的、做得好的，也告诫我千万不要轻信轻狂的爱情。这时她已经发表过不少诗歌小说和剧作，颇有知名度。早在1926年，她发表话剧《苏斐》，开始登上文坛。当时可称权威的《现代评论》同时介绍了两位女作家，一位是冰心，一位就是白薇。这时她在广州，结识了创造社的郁达夫、成仿吾等，又到武汉目睹汪精卫叛变。1927年她到了上海，住在创造社出版部，写了以大革命为背景的《打出幽灵塔》剧本，发表在鲁迅和郁达夫合编的《奔流》创刊号上。前后在《小说月报》、《现代》、《北斗》、《文学》、《光明》等刊物上还发表了大量作品，但是靠稿费生活仍不能维持，曾在中国公学任教。由于不向世俗妥协，常遭排挤。她写了《地之子》，说："一颗光芒不倦的心，带着翅膀想腾飞万里，却永远找不到着落！"

1984年白薇90岁时，《白薇评传》作者之一、她的外甥女何由陪我到她北京的家中去看过她。四十多年不见她了，她的生活这时是由中国作家协会照顾的。房间里只有一床一桌一椅；要给她安置一套沙发，她坚决不要，仍然是古怪

的倔脾气。我走近她的床前,她注视着我。何由告诉她是我来看她。“你是郁风?”她好像不相信站在她床前的就是那个在青年妇女俱乐部时还不到二十岁的郁风。但她的记忆很快活跃起来,她对何由说:“郁风那时最年轻,活泼又泼辣。有一次游行。她当领队。巡捕来了,她带队伍冲过去。我掉队了,怎么也追不上!”说着回过头来看我,仍然摇头。

她似乎不愿相信自己已老了,更不愿相信比她年轻的伙伴也行将老去。1987 年 8 月,她终于故世了。

# 白薇的“悲剧生涯”

郁　风

白薇在娘胎里就是一颗悲剧种子。她生在湖南资兴县姓黄的大户人家。最疼爱她的亲祖母原是太平天国的女兵,兵败后嫁到黄家为妾,受歧视侮辱,都叫她“长毛女”,家道中落后被赶走。

白薇十六岁被逼上花轿,“倒火笼”停轿时逃跑,又被捉回。婆婆是个泼妇,娶了媳妇就辞退了长工,把一切重活都推给白薇。白因偷看书而挨打,婆婆不给她饭吃,最后给她菜刀绳子,逼她自杀,她砸破锅灶逃回娘家。但是父母不敢收留,连夜送她到衡阳,她这才进了女子师范。

后来又转到外号“尼姑庵”的长沙女一师。1918年白薇二十四岁时，婆家和父母与校方串通，要捉拿她回婆家。她靠同学帮助，半夜从窗口跳下，校门紧锁，她从出粪洞钻出，上了开往上海的船。从此海阔天空，又到了日本。为了吃饭，她当佣工、花园工、缝衣工、卖茶水、当下女，甚至挑码头当苦力。后来终于学会了日语，弄到官费，考入东京女子师范生物系。此时，她爱上了文学，她说：用文学的解剖刀“剖开这人类社会，看个清楚吧！”以后，她又遇到了作家杨骚，两人热恋了，在上海同居后又遭遗弃，几度纠缠，弄得身心交瘁，经常在穷苦病痛中挣扎。白薇的自传体小说《悲剧生涯》就是在这个时期创作的。

1940年白薇在重庆病重时，杨骚竟然要求她复婚，但被她拒绝了。当时这《复活》式的忏悔得到人们同情，而她却被看作错过了一生最后机会的傻瓜。

# 还珠楼主

莫 若

1956年初秋，在北京宽街一座四合院的北屋台阶前，我和李寿民初次会面。他，中等身材，穿着一身蓝布裤褂，面庞黑黑胖胖的，戴着一副深度近视镜。很难想像，他就是名闻海内外的

《蜀山剑侠传》作者还珠楼主。

我们的谈话，是从《蜀山剑侠传》这部洋洋六百万言的巨著开始的。我说我非常爱读这部书，已经读过五十集。他很高兴，说这部描写仙佛与妖魔斗法的神话小说，是从1936年起在天津《天风报》连载的，当时颇受读者欢迎，也增加了报纸的销路。后来，读者认为每天只读固定的那么一块版面，很不“过瘾”，要求出版单行本。报社同意了，作者因此却忙个不亦乐乎，一直写到六十集末尾，注明“全书完”，才松了一口气。接着他笑着又对我说，说句实话，如果写到第三次峨眉斗剑，再写六十集也写不完。因为全书出场人物数以千计，相互关系，千丝万缕；加以故事情节层出不穷，是要耗费很大心血的。据说他记忆力很强，但他还是在书室墙上挂起一排排小竹签，标明书中人物姓名、性别、班辈；并分“正”、“邪”、“亦正亦邪”三大部分，每增一人，挂一竹签；每死一人，摘一竹签，以便写作时参考。

还珠楼主，本名李寿民，出身四川名门，饱读诗书，通晓佛经道藏，足迹遍名山大川，探幽猎奇，都成了著书的珍贵素材。他博览古今通俗小说，很受《水浒》、《西游记》、《封神演义》、《聊斋》、《七剑十三侠》等等名著的影响。著作等身，极为丰富，《蜀山剑侠传》之外，还出版了《青城十九侠》、《蜀山前传》、《峨眉七矮》等巨著，总计二千多万言。

我称赞他“才大如海，心细如发”，他却以检讨的语气说:“思想变化了。我担心的是这些宣传封建迷信的内容,会给社会带来不小的毒害。”

还珠楼主的作品,在港台、新加坡、泰国,凡是华人聚居的地方,都在大量翻印,而他本人身边却没存下一部。他告诉我,王昆仑存有《蜀山剑侠传》全套一部。

国内外有下少文学界、科学界的知名人物表示喜欢阅读《蜀山剑侠传》。大翻译家傅雷生前就对友人谈过这部神话小说给他带来的乐趣。台湾著名作家白先勇也曾读过多次,他评价说:“其设想之奇,气魄之大,文字之美,功力之高,冠绝武林。”这并非溢美之辞。

1948 年以后,还珠楼主曾署名“李红”,写过一些作品。1961 年去世。他虽出生在四川长寿县,而且原名“寿民”,却仅享年五十九岁。

# 愁花恨水生

莫　若

1956 年,我去看望著名章回小说家张恨水。他 1949 年曾突患中风,半身偏瘫。此时不仅身体康复,又能执笔继续写作了。

在北京西城砖塔胡同四十七号一座小四合院里,张恨水和他的夫人住在一起。见了面,他感动地对我说,这些年是在他善良的夫人扶持

下，才度过难关。

20 年代末，张恨水的弟弟牧野、补野先生都是我的老师，因此他曾到过我们学校，给喜爱文学的学生们作过演讲。如今，张恨水把我也当做他的学生，谈起话来就随便多了。

张恨水当时正在为上海《新闻报》写连载小说《记者外传》。他年逾花甲，但那种孜孜不倦地写作的精神，的确令人钦慕不置。谈起他的著作等身，他说读者喜欢追求小说的情节，所以他的早期代表作《春明外史》、《金粉世家》、《啼笑因缘》之类，发表后很能风行一时，不少已编成戏剧或者拍成电影。但他比较满意的，还是在抗战时期所写的社会讽刺小说《八十一梦》、《五子登科》和《牛马走》，这些作品揭露并谴责了西南大后方的达官富绅纸醉金迷的生活。我说："这是公认的。"



章回小说作家们，过去为了同时给几家报刊赶写连载或者争取早日出版单行本，几乎都能文不加点，一昼夜赶写多少多少字。张恨水说，他赶写长篇连载小说，一天要写八千字，当然，写诗、写杂文不在此限。四十年间，一支秃笔，洋洋洒洒，他竟写了近一百部著作，计三千万言。

谈起用过的笔名，他自己也统计不出；只说约有六十个，其中如"打油诗人"、"文丐"、"崇公道"等等，在当时是很耐人寻味的。有些笔名是顺手拈来，如他写小品《杨小楼系安徽潜山人》，便署名“我亦潜山人”。我请他谈谈取名“恨水”的涵义，他笑笑说，绝不是所传说的“恨水不成冰”，只不过是从首次投稿使用“愁花恨水生”的笔名演变的。

张恨水是中国作家协会会员。1967 年 2 月病逝。

# 陈慎言

莫　若

《诗经·小雅》有句：“慎尔言也。”《论语·学而》有句：“敏于事而慎于言。”小说家下笔万言，天马行空，他怎么偏偏署名“慎言”呢？

在北京朝阳门内南小街宝玉胡同里，有一座两层小楼。1957 年暮春的一天，我就是在小楼楼下书室内会晤著名通俗小说家陈慎言，提出了这个不解的问题。他操着南方官话笑道：“我不过是严格要求自己而已。”

陈慎言，本名陈尔简，福建闽侯人，1887 年生。我会见他时他年届古稀，头发浓密，但全是银白色。一派读书人气质。他的知识广博，文字优美，确是文如其人。

一位南方人，他的小说却流行于北方。他的作品中，我最初阅读的便是其代表作长篇社会小说《浑不似》。20 年代末，30 年代初，我还是个

穷学生，买不起大报纸，每天上午或中午，总是抽空走到《晨报》社门外的贴报栏前，浏览当天报纸；很快便被《浑不似》连载小说吸引住了。小说情节动人，行文简洁，每天阅读，日子一久，真是欲罢不能了。

陈慎言静静地听着我叙述爱读他的作品，很动容，但不是感到荣幸的意思，却说是深恐这部小说会对青年读者起过什么不良的作用。他还提及1939年在天津出版的长篇小说《情海断魂》。但是很遗憾，我一直没有拜读过。

陈慎言和张恨水相识颇久。张恨水曾对我盛赞陈慎言的文章，既严谨又有气势；陈慎言也盛赞张恨水的文笔，既犀利又涵义深刻。我提到恨水先生还在继续写小说；他表示如有可能，也很愿再写点什么。令人惋惜的是，第二年，也就是1958年，陈慎言不幸病逝了。

还有一件微不足道的小事，经过三十多年的风风雨雨，我仍然难以忘怀。那便是陈慎言给我泡的一杯淡淡的茶水，清香甘醇，是我第一次品尝乌龙茶。

## 几个作家的书斋名

张又君

作家藏书、读书、写作之室，称为书斋，大家熟知的有周作人的“苦雨斋”、林语堂的“有不为斋”等等。梁实秋有“雅舍”、郑逸梅有“纸帐铜瓶室”。他们取的斋名不同，各有含意，这里从略。我对八年抗战期间几位作家在大后方居住时所取的斋名，却很有感触，因为每一个斋名都反映出他们那时的处境、心态，使我历半个世纪之久而不忘。

胡风 1941 年到重庆，居棘源村，名其斋为“落荒土屋”，寓逃离战乱之意。后赴香港，住在一间小小的楼上，他叫它“蚓楼”，言其楼小也。香港沦陷，他逃到桂林，再返重庆，暂住的寓所曰“若不闻斋”，他在那里为《抗战文艺》终刊号写了《关于结算过去》，还写了《写于不安的城》。其时，国民党当局加紧压迫进步人士，胡风复迁居重庆郊区，称所住之地为“避法村”，其意甚明，避国民党之法也。他为路翎长篇小说《财主的儿女们》写的长序和《我与老舍》一文，即作于此。

老舍在重庆主持文协工作，备极辛劳，1944 年夫人胡絜青携儿女自北平辗转抵重庆，与老舍团聚，一家迁居北碚村舍。四川多鼠，肥且大，老舍虽身受其苦也，只得泰然处之，名其住所曰“鼠肥斋”，并作诗一首赠吴组缃：

半老无官诚快事，文章为命酒为魂。
深情每祝花长好，浅醉唯知诗至尊。
送雨风来吟柳岸，借书人去掩柴门。
庄生蝴蝶原游戏，茅屋孤灯照梦痕。

# 五大名旦

赫双林

现代的京剧艺术爱好者，都知道梅兰芳、程砚秋、尚小云、荀慧生为四大名旦，殊不知最早应选的为五大名旦，其中还有一位徐碧云。

20年代时，日本人在北平出版的中文报纸《顺天时报》，销路较广，曾评选京剧五大名旦。著名艺人都以自身新编拿手戏应选，梅兰芳代表作为《太真外传》，尚小云代表作为《摩登伽女》、程砚秋代表作为《红拂传》，荀慧生代表作为《丹青引》，徐碧云代表作为《绿珠》。当时，该报随报附送精印的五大名旦剧照。我曾存有一张，惜于抗战期间在河南开封遗失了。

梅、尚、程、荀四大派的高超表演艺术，久久为人称道，而且都已桃李满天下；惟独徐碧云，不仅个人已经鲜为人知，连个嫡传弟子也没有。其实，徐碧云的表演艺术自有其独到之处。他能戏颇多，唱做俱佳；因与梅兰芳有姻亲关系，也受梅的影响。徐的武功底子厚，这一点是其他四大名旦很难比拟的。

《绿珠》一剧取材宋乐史《绿珠传》。绿珠为西晋石崇宠妾，善吹笛；后石崇被害，绿珠坠楼自杀。徐碧云饰绿珠，在最后“坠楼”一场里，徐从三层桌上，跌扑而下，是高难度的动作，观众触目惊心之余，不禁叹为观止。

徐碧云工青衣、花衫、武旦，且能反串武小生戏。笔者曾观其反串《八大锤》陆文龙一角，穿厚底靴，在战四将中，拉架子、跨腿、踢腿、甩翎子、耍枪花，每个动作均极边式漂亮。

徐碧云中年逝世，没有给后辈京剧艺人留下什么，令知音者为之扼腕叹惜。

## 胡琴圣手

赫双林

梨园界称为胡琴圣手的梅雨田，是梅兰芳大师的伯父；擅长各种乐器，长年为须生大王谭鑫培操琴。梅雨田的入室弟子陈彦衡，是另一位胡琴圣手，曾为须生魁首余叔岩、言菊朋操琴多年。师徒二人功底深厚，操起琴来，“托腔保调”，节奏和谐，不仅唱者使腔运调自如，听者也非常满意，彩声不绝。行家说，梅雨田的琴声似箫；陈彦衡的琴声似笛。如今这两位胡琴圣手已作古多年，我们要能找出早年百代公司录制的谭鑫培和余叔岩、言菊朋的唱片，放一放，听一听，认真体味一下，不难证实“似箫”、“似笛”之说，确非虚夸。

操琴之外，陈彦衡还为谭派艺术广泛流传

起过不小的作用。

本世纪初的十几年中,谭鑫培声誉遍中华,"满城争唱叫天儿"(谭叫天是谭鑫培艺名),可见影响之大。当时和后来的生行名角便多冠以"宗谭"来号召。四大须生余叔岩、马连良、言菊朋、高庆奎也都是以宗谭而成名的,只是由于各人的天赋不同,在继承谭派艺术上各有偏重:马从贾洪林,高学刘鸿声,形成不同风格。真正谭派代表人物应是余叔岩、言菊朋二人。

四大须生中,只有余叔岩曾列谭氏门墙;而谭也只传授余《太平桥》的吏敬思、《失街亭》的王平两出戏。余叔岩、言菊朋同生于1890年,自然有机会到戏院听谭大王晚年的一些拿手戏,认真观摩,细心研究。余叔岩、言菊朋又都是陈彦衡的薪传弟子,陈彦衡对谭腔精髓素有心得,自然倾囊相授了。余、言艺术精进,声誉鹊起。余叔岩红得发紫;言菊朋开始还"走票",后来也"下海"了。每次贴海报、灌唱片,都要特别注明"特请陈彦衡先生操琴"。言菊朋外出演唱,往往以包银之半数奉给师父。

陈彦衡晚年归乡四川,1935年病逝,他所编著的《说谭》、《戏选》、《菊萃》均已选入《谭鑫培唱腔集》。他说,谭腔的特点,在于把诸名家的东西熔于一炉。这说明了谭氏在京剧改革上的真知灼见。

谭腔的慢板悠扬宛转,绕梁三日;快板沉着流利,兼而有之。派生的余、言、马、高四大流派,也都能抓住这一特点。使谭派艺术流传至今不衰,陈彦衡之功,不可湮没。

# 武戏文唱

赫双林

晚清京剧舞台上,有位“第一武生”俞菊笙,人称“俞毛包”,形容他演戏火爆。他的武功精纯,动作幅度大。他有两个入门弟子,一个是他的哲嗣俞振庭;一个便是后来成为武戏宗师的杨小楼。杨小楼宗俞,却走自己所创造的路子,演戏不再专靠武打讨好,而是注重人物的性格表演,其最大特点就是“武戏文唱”。

50年代初,我曾和著名武生孙毓堃谈论杨小楼的舞台表演艺术。孙毓堃是俞振庭的外甥,原来艺名“小振庭”,顾名思义,是要继承俞派艺术的。后来看杨小楼的戏多了,才体会到“武戏文唱”的奥妙深湛。他说,学习杨小楼的艺术可非常不易,要具备杨的素质条件,那就是魁梧高大的身材,清越亮堂的嗓音,才能进一步探讨他的表演艺术。杨小楼长于念白,讲究音律;功架大方,身段优美。武生离不开开打。杨小楼的开打,从容潇洒,向来不显露力竭神惫之态。《落马湖》是出唱、做、念、打俱备的武生重头戏,在“水擒”时,黄天霸和李佩过手,杨小楼也只是手舞

单刀，挥洒自如地来几下；这几下让观众双目一新，回味无穷，真比看一场全武行的大开打过瘾多了。杨小楼的白口高低起伏、抑扬顿挫，可以说举世无双。记得他在《晋阳宫》一剧里扮演李元霸，梦里学锤，醒来时的一句："却原来是大梦一场！"高亢响亮，赢得满堂彩声。《金钱豹》一剧里饰豹子，受孙悟空欺骗，双手扯帐，一个"哇呀呀"，声震屋瓦，观众惊叹之余，轰然喊好。《长坂坡》是杨的拿手戏。第一场，刘备唱完"叹五更"，赵云的第一句白口 "主公，且免愁肠，保重要紧"，便能惊动四座，连讨三个满堂彩。第一个彩是："主"字声音略提，"公"字一沉，声色凝重，表示对刘备的尊敬；第二个彩是："且免"两字一提一缩，"愁肠"却是放宽音量，沉着响亮，表示热情的劝解；第三个彩是："保重"两字宽而低沉，"要紧"两字拔高，响彻全场，表示对刘备的十分关切。正如孙毓堃所说的，这些都是杨小楼的绝活。没有杨小楼的天赋才能和表演上的气势恢弘，是很难学到的。

戏剧大师梅兰芳说过：《霸王别姬》经过著名戏剧家齐如山重编后，梅饰虞姬，每次上演，都是霸王陪同虞姬演唱；只有和杨小楼合作，才是虞姬陪同霸王演唱。足见杨小楼的艺术功底之深厚，才无愧于梅大师如此的推崇。

# 一代名伶的下场

赫双林

抗战期间，我一直在西南大后方从事新闻工作。一位京戏票界友人，和我谈起20年代初就在上海艺坛上红极一时的名伶赵君玉。他说赵君玉现时正流落在昆明，贫病交迫，在一家戏院搭班，演些打杂的小生角色。这家戏院的当家武生，过去曾在上海赵君玉班子里演开锣武生。曾几何时，两人的艺术地位竟如此本末倒置。不过当我听这位当家武生讲起赵君玉当年红火的舞台生活，以及后来落魄经过，也就认为不足为怪了。

少年时代的赵君玉，在上海舞台献艺。他身段边式，扮相秀美，嗓音甜润；加上戏路宽、能戏多，且有才华，善于创造。他能演南派冯子和的成本新戏《孟姜女》、《宦海潮》、《刁刘氏》；也能演北派梅兰芳的古装戏《千金一笑》、《黛玉葬花》、《嫦娥奔月》。他对传统剧目也颇具功底。京剧大王谭鑫培到上海演出，他曾为之配演《汾河湾》一剧的柳迎春和《珠帘寨》一剧的二皇娘，很受观众好评。

上海社会是个大染缸。赵君玉舞台生活十分得意，却抗拒不了社会上的罪恶诱惑。先是生活放荡;继之吸食鸦片;后来又嗜赌成性。仅仅几年光景,他的扮相失去秀美;嗓音失去甜润;身段失去轻盈。他已无力组班,只有在戏班演些班底小生,从此一蹶不振。抗战军兴,听说云、贵、川一带烟馆林立,鸦片价格便宜,他便辗转进入大西南,最后来到昆明。这里气候四季如春,“云土”更是名闻遐迩。赵君玉却已病入沉疴。我到戏院后台看他,一个五十来岁的中年人,面颊瘦削,神态委靡,哪里还有当年的丰采!只有谈起他过去为谭老板配戏的时节,他那枯黄的脸上才露出一丝笑容。

我曾想多看他几次,然后为他写篇文章,不料穷途末路的赵君玉,一个晚上在后台涂粉扮戏,未及上场,竟猝死在大衣箱上。一代名伶的下场如此悲惨,是毒品赌博把他的似锦前程整个毁掉了。

# 沈仁山与叶春善

吴小如

门人白化文君,本名乃桢。其外曾祖沈仁山,清末民初为都门巨富,世称“外馆沈家”。仁山先生在梨园界甚有名,因为他有很长一段时间是京剧著名科班“富连成”的“东家”。富连成科班本名喜连成,入民国后改称富连成。科班的出资人最早是关东的牛子厚，后来因牛家家道中落，乃由沈仁山先生出资，而班主则为叶春善。据白化文君谈,沈、叶两家宾主相得,直到沈家败落,科班由叶家自己经营,双方从未发生龃龉。有人的著作根据传闻,说沈家曾用了科班多少钱;据白化文谈,与事实并不符合。仁山先生有异母弟(庶出)名沈秀水,行七,曾一度接管富连成。但秀水先生最后结局却是死在解放后由国家兴办的无业游民收容所中。收容所就在今北京大学蔚秀园北墙外，秀水先生的遗骸还是白化文去收领的。化文说,如果沈家真是用过科班赢利的钱,其结局是不至于落到这步田地的。而且自沈家不再出资之日起,便立下一条规矩,不许家属亲戚去听富连成演出的戏，免得被认出不让买票,落个“听蹭戏”的嫌疑。故化文从小没有听过富连成科班演出的任何一场戏。这也可见沈家家规之严。

叶春善先生是一位极正派、且颇具古风的人。沈仁山先生逝世后,每年春节,春善先生必到沈家拜年,且一定要“见见老太爷”,即在仁山先生遗像前隆重行礼。为此,只要春善先生一到沈家拜年,沈家便须全体出来接待,陪着春善先生行礼。双方都把这一行动看成一件大事,直到春善先生抱病不能起床,最后逝世,这件每年一次的大事才告结束。

沈家作为资方，对富连成内部业务从不过问。只派一位曾替沈家管事的毛泽溥先生到虎

坊桥科班所在地柜房里“坐镇”。这位毛先生不听戏也不学戏,更不多说少道,与叶春善先生相处得很融洽。既不向沈家“打小报告”,也不问叶家说其他人(包括沈家)的短长,因此得到叶家尊重。盛章、盛兰昆仲见到这位毛先生,始终以父执之礼相待,称之为“毛大爷”(“大爷”,北京话称伯父之谓)。即使在沈家与富连成“脱钩”以后,盛章、盛兰等路遇毛先生时,依旧执礼甚恭。毛晚景不佳,常求助于沈家,却从不向叶家人开口借钱。故白化文君对我说:“毛泽溥也是一位耿介之士。”

# 黎锦晖的儿童歌舞作品

陆震东

中国儿童音乐教育家、作曲家黎锦晖,早在20年代和30年代时,他的作品就已风行全国,并流行于港、澳、南洋等地,有些作品还被灌成了中国最早的歌曲唱片。他创办的中华歌舞专门学校和明月歌剧社,人才辈出,如黎明晖、徐来、王人美、黎莉莉、薛玲仙、周璇、白虹、黎锦光、严华、聂耳、谭光友、顾梦鹤等等,后来都成为红极一时的电影明星和音乐家。

黎锦晖是湖南湘潭人,1891年生于一个书香门第。他自幼喜爱民间音乐,学过古琴等民族乐器,在中学时代,他又学过西洋音乐理论。大学毕业后曾当音乐教员。在课堂上,他向学生教民间乐曲,并尝试用传统曲调填上文言歌词,以培养学生对中国音乐的兴趣。

1915 年,黎锦晖来到北京,受其兄著名语言学家黎锦熙的影响,钻研国语(普通话),积极推广白话文和注音字母。1916 年,他在北京参加蔡元培先生主持的北大音乐研究会,从此广泛搜集民歌和民间音乐,积极创作和提供儿童歌舞剧和歌舞表演曲。1922 年,黎锦晖受聘担任上海中华书局国语文学部部长,创办了我国第一个少年儿童文学周刊《小朋友》。

从 1922 到 1928 年,黎锦晖创作了《麻雀与小孩》、《葡萄仙子》等十二部儿童歌舞剧,以及《可怜的秋香》等数十首歌舞表演曲。他的作品首先由《小朋友》发表,并在各个学校举办的游艺会上及海外华侨小学中演出,受到热烈欢迎。1927 年,黎锦晖离开中华书局,在上海创办了中国第一所培养歌舞人才的学校——中华歌舞专门学校。

据我母亲黎明晖回忆:“歌专”公开登报招生,吸收十五至十八岁的男女少年,不收学费,还提供食宿。每天上六节课,其中四节歌舞课,两节文化课,文化课教时事概要、外语会话、戏剧常识和音乐理论等。歌舞课练发声、学乐器和舞蹈。教材除了基本功训练外,大多采用黎锦晖编写的作品。三个月正规学习后,举行中华歌舞会，以后即边学习边演出，培养了不少著名的歌舞、电影人才。

1927年以后，黎锦晖相继创办了中华歌舞团、明月歌舞团、明月歌剧社等，并在东南亚各国及我国南北方各大城市巡回演出，使一些闪烁着“五四”新文化运动精神的儿童音乐歌舞作品走向社会，成为当时人们文化生活的一个组成部分。

建国后，黎锦晖在上海从事电影音乐工作，创作过不少儿童音乐作品。1956年，他的几部作品在北京全国音乐周上重演。1959年10月，他应邀到北京参加国庆十周年的观礼活动，受到周总理的亲切接见。1966年，黎锦晖因心脏病不幸逝世。

全国音协名誉主席吕骥曾经指出：“黎锦晖写的儿童歌曲，可以说是适合儿童心理标准的。所以小孩唱他的歌曲，好像是从儿童心里涌流出来似的，它容易流入儿童心灵，容易被儿童记住，这是极不容易做到的。”

## 孙师毅挽阮玲玉

张又君

我国早期电影女明星阮玲玉在谣言和诬蔑中饮恨自杀，留下一句话：“人言可畏。”阮玲玉最后一部影片《新女性》编剧孙师毅对阮玲玉之死极为悲愤，曾作挽联一幅悬挂在上海万国殡仪馆,联中写尽了万恶旧社会的丑态。联云：

谁不想活着?说影片教唆人自杀吗?为什么许许多多,志节攸亏,廉耻售尽,良心抹杀,正义沦丧,反自鸣卫道之徒,都尚苟安在人世;

我敢说死者,是社会胁迫她致死的。请只看罗罗唣唣,是非倒置,泾渭故淆,黑白不分,因果莫辨,却号称舆论的话,居然发卖到灵前。

## 赵如泉的“上海济公”

翁偶虹

京剧之有济公，最早见于晚清宫内排演的《马家湖》、《赵家楼》、《五鬼盗阴瓶》、《八魔炼济颠》。济公由老生饰演,并不丑化。剧本传至民间,梆子班尚有改编演出者。京剧中仅存《赵家楼·凤凰岭》一剧,主角华云龙,济公则席于丑扮末位。20世纪初,上海夏月恒、夏月珊、夏月润、夏月华昆仲,两次兴建九亩地大舞台,首创灯光布景,开连台本戏风气之先。月珊晚年创排《济公活佛》,连演多本,广受欢迎,传为本戏中之保留节目。

40年代，赵如泉主演于共舞台，蝉联演出《杨香武与欧阳德》、《龙潭鲍骆》、《三大亨》(即《飞龙传》中之赵匡胤、柴荣、郑子明)、《济公活佛》等，仍以济公最享盛名，博得“两代上海济公”之誉，意指第一代为夏月珊，第二代即赵如泉也。其化装虽浓于月珊，稍嫌丑化，然唱、念、做、表，仍规范于老生风格，不瘟不火，风趣幽默。每本故事，不外扶危济困，见义勇为，既寓人情冷暖，亦有神魔幻化。例如：“背佛捉妖”一节，就很富机趣。剧中老农儿妇，为妖所祟，叩求济公除妖。济公背着灵隐寺的韦驮，摇扇而来。韦驮高仅1米，彩塑庄严。先背着走个过场，再则安置于老农的几案上。老农翁媪，面对泥胎偶像，不信其能驱妖。济公即以禅语机锋开导他们。对白繁琐，语意双关，幽默中深含哲理。赵如泉娓娓念来，如话家常。为了显示彩头，边念边拨动案上的韦驮。韦驮整身转动，台下视之，确是一尊泥塑佛像。倏地灯光一暗，场面以锣鼓声摹肖风声，翁媪惊骇妖来，匍匐藏于案下。赵如泉则笑容可掬地频摇破扇，静候妖魔出现。妖上直扑济公，赵如泉以卓越的武功，一跃登桌，用破扇三击韦驮之顶，韦驮立即转动眼睛，抬起手脚，左手戟指妖魔，右手挥舞降魔宝杵，跳下桌来，与妖开打，直追妖下。观者至此，既惊韦驮何以动作如生，更惊其何以背在济公身上，轻如蝉翼。殊不知前一个背在身上走过场的原是纸扎彩画；此场背上来的，换了个三尺幼童，扎扮如前。观者难辨前后。如此幻化，

虽属噱头，而赵如泉之念白、做、表以及武功，却已展现于噱头之内。

## 石挥扮演秋海棠

翁偶虹

话剧《秋海棠》四十余年前首演于上海卡尔登剧院，由黄金时代的石挥主演而大红，连满数月。时太平洋战争已爆发，日寇严禁上演英美电影，国产片又供不应求。许多影院，纷纷改演话剧。石挥即以《雷雨》中之鲁贵，崭露头角，继又主演《大马戏团》、《正在想》、《福尔摩斯》、《还魂记》等，声誉鹊起，高踞"话剧皇帝"之宝座。该剧表演艺术之倾倒观众者，似属于京剧中的丑角。主要原因，是他的外型既不英俊，又淡化了"话剧腔"，突出了北京味，演下九流江湖人物，卓绝称雄。秋海棠虽然属于旧时代下九流中的头牌男旦，而且必貌美。石挥接受了这个角色，估计表演"毁容"后的潦倒生活，可操胜券；前部之夺艳菊坛，谈情月下，从外型到表演，必须下一番脱胎换骨、伐毛洗髓的功夫。他善于体验生活，捕捉个性。在准备排演期间，正值程砚秋演出于黄金大戏院，他每天必到后台，躲在僻静的角落，观察、揣摩程先生的声容举止、化妆扮戏。程上场，他又转到前台观摩。他以程砚秋为前部秋

海棠的表演之鹄。同时也常到地下室观察武行演员的后台生活 (当时黄金戏院的武行演员,都在地下室扮戏说戏), 并与年老力衰的武行交上知心朋友,攀谈他们的坎坷经历。如此体验者月余, 使他充分掌握了秋海棠前后两个截然不同的特定环境和舞台行动线。上演之后,观众看到了一个崭新面目的石挥, 同台演员也为他的精湛表演而倾倒。

在秋海棠与罗湘绮倾述各自身世的时候,石挥唱了两句"女起解"的散板:"不如意事常八九,可与言人无二三",纯粹程腔,凄楚悲凉,如泣如诉。这两句乱真的摹拟, 致使某些京剧演员,转从他的口中,浅吟低唱。

秋海棠被季兆雄划"十字"变为"丑八怪",沦为武行演员, 石挥扮演的秋海棠戴着凋零蓬乱的黪头套,上穿破旧的水衣子,下穿污垢的丝彩裤,伤疤嵌入皱纹,丑而又老,坐在二衣箱上,悲忆前尘,激烈的痛苦,交织五中。这一幕戏,更显示了他的独特演技。记得他有个用手狠狠攥着一张纸币,时而握之欲碎,时而舒之恐残的动作,随着动作,断断续续地念出自慨遭遇、复叹民生的大段台词,凄凉中迸发愤怒,感人之深,上千的观众几乎无不掏出绢头擦拭眼泪。

# 曹禺演戏

刘厚生

我的老师曹禺是中国剧作家中获得世界声名的第一人。他从少年时代在天津读南开中学时起,就是一个优秀的话剧演员,后来又导演过很多戏;关于这一点,话剧界以外的人知道的不多,就是话剧界的青年人,恐怕也是十之八九不太清楚,因为在他写出《雷雨》、《日出》、《原野》等大作之后,就极少排戏或登上舞台。我却有幸,看过他在抗日战争时期参加的两次演出,当时的情景像是钢印印在脑子里,至今难忘。

这里只说第一次。1938 年 10 月在重庆第一次戏剧节期间,演出过《全民总动员》(又名《黑字二十八》)一剧。剧本是由曹禺和宋之的改编的。剧中角色众多,总数约百余人,重要人物也有一二十,为的是可以把当时在重庆的所有知名影剧演员都包容进去,使这场演出成为戏剧界的一次总动员。曹禺在戏里演富商侯凤元,白杨演他的女儿莉莉。剧中主要人物是赵丹演的特工队长,他装疯卖傻,追捕间谍,人称邓疯子。对立面是顾而已演的日本间谍,代号黑字二十八。这是个情节剧,今天看来,明显是一个急就章,又是改编,又是两人合作,自然不够完整。但由于

剧情紧张曲折，加之有大批名演员在台上各显神通,舞台气氛给渲染得热闹之极。

曹禺的戏不算多。他身躯不高,虽然穿了一件缎子长袍,好像外边还罩有马褂,在群星闪耀的舞台上看外形并不显眼,但是他的动作、语言却总有一种特殊的魅力。他是一个近视眼,这个角色正好也戴上一副眼镜。但透过眼镜片,依然看得出他的双目闪闪发光。近年看南开戏剧史料，才知道曹禺早在20年代在南开中学演戏时,就以目光锐利闻名。回想他在《全民总动员》中的演出,确实不假。在戏的第一幕中,他的戏主要是同一个实为汉奸的商人谈生意，台词比较简单,但曹禺的表演动作干净,气度从容,显示出这是一个精明的富商。到了第四幕,他的女儿莉莉要向根据传闻而崇仰的英雄邓疯子献花时,受到了别的青年的讥笑。曹禺烦躁地要莉莉回家,别再等待,他追着莉莉说:“再等下去倒不是献花,成了献丑了！”他用稍稍尖一点的声音突出了“成了献丑了”一句,说得异常清脆、突兀,立即引起观众的哄堂大笑。曹禺每场演出,都得到同样效果。

五十多年过去了，但曹禺创造的这个舞台形象,特别是这句说得十分精彩的台词,对我确实是记忆犹新。

# 洪深教戏写戏拍电影

张又君

戏剧家洪深曾在美国哈佛大学攻读戏剧专业，导师为著名的倍克教授。1922 年洪深回国，即投身戏剧电影界，参加中国影片制造公司，提倡拍电影必须先有剧本，并在征求影戏剧本启事中，阐明“影戏为传播文明之利器”，要求应征剧本应以“普及教育表示国风”为宗旨，凡是“诲淫”、“诲盗”、“暴国风之短”者，一律不取。洪深曾受聘上海中华电影学校，因其学识渊博，口才又好，深受学员欢迎。二三十年代电影明星胡蝶、徐琴芳、朱飞、龚稼农等皆是洪深教过的学员。

洪深教戏剧，也写戏剧，他写的历史题材剧本《申屠氏》是中国最早一部电影剧本；后来他加入明星影片公司，身兼编剧、导演二职，改编过《少奶奶的扇子》，写过《压迫》、《劫后桃花》等电影剧本。洪深思想进步，曾参加左翼剧联，导演阳翰笙编剧、王莹主演的《铁板红泪录》，这是一部左翼电影佳作。

洪深写剧本，先是在脑子里酝酿，打好腹稿，对朋友们讲述创作意图，讲故事，听取意见，再行酝酿，然后向公司老板告假，找饭店(旅馆)开个房间躲起来，足不出户，埋头创作。洪深下

笔很快，一般不过半个月，剧本就能脱稿。于是他拎着公事皮包，回到公司销假，把电影剧本往桌上一放，告诉老板：剧本完成了。

# 从凡鸟到马彦祥

秦瘦鸥

时光如流，马彦祥同志逝世已快十年了，但我至今还时时想念着他。

本世纪20年代中，我邂逅彦祥于上海。那时候他是复旦大学中文系的学生，我则就读于商科大学银行系；他原籍浙江鄞县，我是江苏嘉定(今已划入上海市)；但因大家都爱好戏剧、戏曲，又都欢喜写文章投稿，于是一下就成了朋友。

我们都用过不少笔名，给小报写稿时，他用的是“凡鸟”，我用的是“怪风”，见了面彼此也这样称呼。很久以后，我们都有了职业，见面的机会少了，只得常用书信联系，我才称他为彦祥兄。可我学名秦浩，是单名，称呼不便，他就挑了我写小说时所用的笔名，称我为瘦鸥兄，以后一直没有变动过。他的父亲马衡先生是国内有名的学者，善于鉴别古代文物，曾任北平故宫博物院院长。彦祥秉承家学，恂恂然有儒者风，写的墨笔字非常漂亮。

彦祥和我所学不同，也从未和我在一起工作过，但我们从解放前直到解放后始终往来不断，算得上是老朋友、好朋友。记得抗日战争期间，我从桂林流浪到重庆，人地生疏，连个宿处也没有，幸而记得彦祥在三民主义青年剧团工作，便找了去。一进门，瞥见他办公室里所挂的国民党青天白日党旗，不觉一愣，心想："怎么？彦祥做官啦!"其后看到那些跟彦祥往来的朋友，还有他们剧团演的几个戏，我才明白过来：敢情这也是国共合作时期应有的特殊现象嘛!

胜利后彦祥的工作多次变动，解放前夕他是《新民报》北平版的副刊编辑。解放后他才真正有了用武之地，被任为中央文化部戏曲改进局的领导。他每次因公来沪，必找我和应云卫、朱端钧等几个老朋友聊天，大家依然叫他"老马"或彦祥。有一次盖叫天先生来看他，一口一个"局长"，叫得他窘不可言。盖老走后，我说："彦祥，我怎么看您也不像个局长。"他也大笑起来，接着就说："盖老是个老派人，认为非这样对待人不够尊重。我们要谅解他。"不错，老马身上尽管有不少缺点，但善于体谅、理解别人，毕竟是值得一提的优点。

# 少年俊侣姚克

秦瘦鸥

我在大学就读期间，功课成绩一直居中等，也很少参与校内活动。可是由于爱好看戏、看电影，又时常爱弄弄笔头(用现在的话来说，就是爬格子)，发表一些乱七八糟的东西，因此在校外反而很活跃，交到了不少朋友，其中之一就是姚克。

姚克原名姚莘农，安徽歙县人，长我二三岁，家里很富裕，风度翩翩，衣饰华丽，属于旧小说里所写的公子哥儿的类型。当时他是东吴大学法学院的学生，文才和口才都很好，交游广阔，已经是个很成熟的青年人了。

我们因别人的介绍而相识，不觉一见如故，但大家都年轻好玩，相对终日，言不及义；不仅从不关心什么国家大事，就连对方攻读何项专业，也并不了解，以致后来姚克发表了许多用英语写成的作品，还身任英文《天下》杂志的编辑，我竟大为骇异，弄不明白他是什么时候拚命钻过 English 的。到 30 年代后期，我们快入中年了，才开始相互真正有所了解。

他在天风剧社时，导演了曹禺的名著《雷雨》，获得很大成功。不久，他着手编写以光绪“百日维新”为主线的历史剧《清宫秘史》，其间曾参考了我所译德龄女士原著清宫小说《瀛台泣血记》,并多次找我去一起商量修改。那时他刚和电影明星上官云珠(本姓韦,小名亚弟,江苏省江阴县人)同居,出入双双,形影不离。后来《清宫秘史》由中旅剧社接受,在爱多亚路璇宫剧场(今延安中路某招待所)正式公演,姚克每夜忙着在后台坐镇,我就伴着上官在台下随便找两个空位子坐着观看,演出结束后把我们从观众中听到的意见告诉姚克。三个人有时相对大笑,有时也会激烈地争吵起来。今天回想,此情此景,仿佛是昨天才发生的。

# 溥心畬和张大千的一次笔会

黄　均

1934年,我拜溥心畬先生为师。先生名儒,字心畬,是清末恭亲王的孙子,所以印章刻作"旧王孙"。他擅长北宗山水,学问渊博,书法真草篆隶,无所不工,诗文下笔立就。那时先生住在后海三座桥恭王府花园,园名"萃锦园",作画画室榜名"寒玉堂"(该园现已整理油饰一新,辟为旅游胜地)。溥先生与张大千先生友善,时称"南张北溥"。我向溥先生学画北宗山水,兼学诗文及书法。他对我不但在绘画上,在文学修养上也给予许多教益。

1935年初春一个早晨。溥府的吴管事到我家说:“二爷(溥先生行二,人称儒二爷)今天要你去花园,看他与张大千先生合作画。”这天风特别大,下午更是刮得天昏地暗,日月无光。我来到寒玉堂,溥先生已经将笔砚画纸准备好,专等张大千来临。溥先生对我说:“你看看我们作画,对你很有好处!”我也真觉得机会难得,可是外面风那样大,不知张先生是否能来。没想到,下午三时许,大千先生果然来了。他那连腮的黑胡须,黑黑的四方脸膛,短小精干的健壮身材,肥大有力的手,潇洒的步伐,一望而知是一位非常有修养的大画师。他手里拿着一卷笔帘,笑呵呵地迈进了寒玉堂套间的画室,拱手对迎上去的溥先生说:“来迟了!抱歉!抱歉!”

笔会开始了,这次笔会的形式和内容都极其丰富多样。从尺寸说,有四尺三裁的,也有四尺整纸的,有大有小,还有册页式的;从内容说,有山水、花鸟、人物;从画种说,有水墨、白描,也有青绿重彩,从绘画方式来说,有个人画的,也有合作的,也有你画我题,或我画你题的。二位合作的也不少,他们都画得很快,互相交换,有如穿梭一般,使我如入山阴道上,目不暇接。我看到了溥先生北宗山水湿笔中锋的大斧劈兼小斧劈的笔法,以及他笔走龙蛇的书法;也看到了张先生磊落雄奇的山水风貌,以及他青绿山水大幅的皴擦渲染和青绿着色方法。他们的每一张画、每一幅构思和构图,和他们变幻神奇的下笔方法，都深深铭刻在我的心灵深处，至今不忘。

这时，外面的风还是不断地刮，撼壁震窗，呼呼作响。张先生在画完许多张小画之后，不停地向窗外看那被风吹得大摇大摆的树枝，看着看着，他忽然抽出一张斗方形的宣纸，用秃笔蘸饱水墨，画出半截被风吹倒的老树干。在树干上边，绕了几根藤萝，藤萝上还挂着几组叶子。他画完就交与溥先生，请溥先生题诗。溥先生接过这张画，反复看了之后，大有感慨地立即命笔题了一首五言绝句：

大风吹倒树，树倒根已露。

上有数枝藤，青青犹未悟。

这首诗着墨不多，给我印象极深，不禁使我联想到溥先生另一首题画律诗中的四句：

昔日千门万户开，愁闻落叶下金台。

寒生易水荆卿去，秋满江南庾信哀。

这前后两诗的含意都很凄婉，不难看出，这实是溥先生目睹事异景迁，自嗟身世所发出的浩叹。

时近黄昏，风已渐停，笔会结束。溥先生请张先生在什刹海会贤堂饭庄吃晚饭，也让我作陪。饭后，溥先生余兴未已，请张先生仍回到花园，欣赏他府中历代传下来的名书画，我有幸也随同前往。在寒玉堂的灯光下，溥先生取出最为名贵的唐韩干“照夜白”纸本，后有很多历代名人题跋。画中一马仰天长嘶，上有南唐后主李煜题签，清乾隆题诗有“丹青曹霸老，画肉也应难”之

句。我们还看到夏珪的墨笔山水和北宋人的山水长卷，最难得的是看到东晋陆机的《平复帖》。后来为了获得这件名法书，张伯驹先生卖掉了一所房子以巨款得之，现已捐给故宫博物院收藏。

在这次笔会中，我得以观摩两位大师作画，又看到希世瑰宝、古代书画名迹，真可谓大饱眼福，获益匪浅，使我终身难忘！

# 白石老人课徒纪实(上)

卢光照

1934年暑期，我考入国立北平艺专(校址在西单西京畿道，即现在民族事务委员会所在地)，先入艺术师范科。一年后，该科撤销，同学分头转系，我转入国画系。我们这系，顶多不过二十人，教授多是大师级或著名画家，如教花鸟的有齐白石、王雪涛、邵逸轩、杨洛川等；教山水的有溥心畬、黄宾虹、吴镜汀、汪采白等；教人物的有陈缘督、吴光宇等。先生教课认真，学校管的亦严，每课教务处都有人去巡看点名(暗地)。学生出入学校，须把校门口挂的名牌翻一下(到校翻黑字的，出校翻红字的)，使校方一目了然，谁也不敢疏懒或无故缺课。

我系的老师，好像齐白石先生的年龄最长，那时已七十岁左右。鹤发红颜，长须飘拂胸前，夏天穿一袭白长衫,白裤,布底皂鞋,手持龙头拐杖,移步较缓而稳,很有风度,一看就知道是个大画家。

白石先生每周给我班上两次课，每课连着两小时。先生来校时,总是雇两辆洋车(黄包车),自己的一辆在前,后一辆坐着夫人胡宝珠。车到校门口刚停,门丁(穿黑制服,扎皮带,打绑腿,戴大沿帽,跟警察差不多)立即过来,把老先生搀着送进校门,然后夫人再扶持着步入教室。

看样子学校是有意识地尊敬老先生，只要有齐先生的课,堂伕(管教室的勤务员)总是在讲台的下边一侧临时放上一把太师椅，齐先生就坐在那里休息,夫人陪坐着。冬天天冷,就在那里围炉取暖,有时还吃烤白薯。

那时的校风好,老师的艺德亦好,往往是上课的钟声未落,齐先生就坐在教室里了,从不迟到早退。若有事不能前来上课,也要派人送来画稿,不让学生荒废学业。

齐先生的教学方法很简单，每次带来一张自己的得意作品 (那时的规格一般通行四尺条、三尺条、二尺条,要不就是四尺整张,没有现在通行的四尺三裁或四尺方对开)，用夹子夹住挂在讲台上,叫大家看着临摹。班上的学生不多,距讲台不远,都能看得清楚。大家共临一张画,很容易看出学生的临摹水平,便于指导。

齐先生很少讲理论，他的教法是叫学生在实践中体会,摸索经验,没有什么一套一套的夸

夸其谈。学生若提问,先生也是“叩之以大则大鸣,叩之以小则小鸣”,针对具体情况,指出要害,不作云山雾罩,故弄玄虚;态度和蔼,神色威严,不由你不认真听、不认真领会、不认真临摹。

先生大部分时间是坐在台前休息,眼看着学生做作业,有时也到学生位子上坐坐,看看具体作业。发现问题就给改几笔,同时指出为什么要这样而不是那样。如有次一位同学临的一张杏花,总的看和先生画的样子差不多,先生看了,拿起笔对他说:你画的叶子都成了平面的,而杏花的枝叶结构却不如此,至少有些花后要画上叶子,就圆起来了。又说,你看你画的枝干衔接处。描得光光溜溜,这不好,画要画不要描,要看出似不连接而气势连接,这样就不类似“画匠”画了,格调就高了。

# 白石老人课徒纪实(下)

卢光照

白石老人日常作画,对于所画对象,虽然不一定连阴阳向背都了如指掌,但一定要心中有数才动笔。解放初《人民画报》请他画一幅《和平鸽》,他没有立刻下笔,请他们过几天再来取画。等他细心观察了儿子所养的鸽子的飞立仰俯各种动态,心有全鸽了,才画出那幅传世的佳作。

齐先生的画,从不轻易送人。他有"交易不论情面"之语(鬻画告白),因之有人说他爱财。其实他是自重自爱。那种见人就送的画,大概不是什么好画。但是我们班的同学,每人手中都有他赠送的一幅。为了教学生掌握基本技法,如怎样用笔、墨、水、色,怎样构图等,他言明轮流给每人画一幅,作为纪念。当这次该给谁画了,这位同学就早作准备,纸张笔墨都摆好,齐先生就在他的位子作画,同学们围拢来瞧,瞧不见的就站在椅子上,伸着脖子看,看得都非常认真,生怕错过了学习机会。齐先生画时,向来不说话,画得入神时,遇上不顺手处,往往是脖子一挺,"嗯"一声就过。先生行笔很慢,枝叶花朵,处处都有出处和着落。如所画藤萝,枝条如龙飞凤舞,但都能找到它的脉络。有时他题自己的画说"一挥而就",那是指精神贯注,一气呵成,并不是大笔一甩就"得"。给同学作的画,他一定认真地题写上下款,然后带回家用印,下次上课时带来。

课下同学们若要习作,齐先生并不另拿画给他们去临。课下临的,都是先生给同学画的,大家互相借着来临。我还记得一件很伤心的事,即齐先生给我画了一幅《芦苇鸭子》,四尺条上边,长长的垂下几片叶子,还有芦花一穗,下边一只缩脖水鸭,静静地浮在水面,非常生动有味。这幅佳作,被一位叫倪莹的女同学借去临摹,可她粗心大意,竟把这卷画放到蘸了墨的笔上。急急打开一看,画上已染了一串连珠墨点。

倪莹直道歉，我也伤心得没法说。后来我向齐先生说了，先生说“拿来我看看”。他琢磨一会儿，拿起笔在墨点地位题跋了两行字，墨点掩盖住了，并且增加了这幅画的故事性，更有意义了。但使我更伤心的还在后头呢，抗战期间，这幅画又遗失了，迄今我还时常想起它。

齐先生整整把我们教了三年。“七七”事变，日本鬼子进了北平城，学校停办。这年也是我毕业那年。我逃出北平，辗转到了河南老家，冬天参加了张自忠的五十九军宣传队，走向抗日前线。

# 齐白石巧妙诱学子

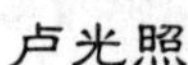


1934—1937 年，我在国立北平艺专国画系学习。虽然山水、人物、花鸟各科都学，但我主攻的却是花鸟，最下气力的是学齐白石。白石师的画，气魄大，痛快淋漓，生机勃勃，画起来使人振奋。那时我班的同学，多是开始学画，技术水平没有，认识水平也很低，不知道什么叫好画，只是根据自己的喜好来选择重点老师。大概是因为我性格开朗的缘故吧，我一开始就喜欢齐先生的画。喜欢不等于认识。但这朦胧的选择，对我的创作却起了决定性作用——它决定了我的力求高雅脱俗的艺术风格。

木匠出身的齐白石，绝顶聪明，富有才华。青年时期他的雕花细活闻名湘潭，艳称“芝木匠”(小名阿芝)。教起书来，他不会夸夸其谈，却会诱导和鼓励学生。学生中作画有进步或技艺、意境突出的，他便主动在他们的画上题句。这题句有似战斗后的总结、表扬，使学子更能坚定信心，奋勇直前。李苦禅拜教齐先生门下时，有不少画经齐先生题过字。李苦禅画笔清新，题材、章法不落俗套，因而遭一些人诋毁。齐先生得知后，为其画幅题词：“布局心既小，下笔胆又大，世人如要骂，吾侪休吓怕。”又为我的同窗好友谢炳琨《鼠子爬灯台图》题云：“炳琨弟思想虽厉害，然几使鼠子危矣。余喜其用笔，生活胜人。”炳琨生活俭朴，用笔俏皮，鼠子在灯碗上扒不住，几乎摔下来，齐先生在题词中乃指出其缺点，又表扬其才思。再如为我所画《夜饮图》题云：“酒壶酒杯，却是随意一挥，何其工极，超余者弟也。”这是先生称赞我在不经心处画出意想不到的妙品，对他老人家也有所启发。经验告诉我们，作画的确如此，过分经心，精神紧张，往往画得反不称意，不经心之时，往往笔能生花。

我们跟齐先生学习期间，他发现苗子，就用各种方法提携，像上面所说的在画上题字，还有允许学生课后到他家看他作画和批改作业。我们班有几个同学他较喜欢。我还受到可随时谒见、门丁不予阻拦的宠遇。因为齐先生家的大门，一年四季落锁，不速之客，不经先生许可是万难进去的。

1937年暑期我在艺专毕业,那年夏天,有一次齐先生对我和谢炳琨、雒达三人示意,说毕业前可选一些画,出本画册,作为学习的总结。我们高兴万分,很快每人选出自己最得意的画十幅,送呈齐先生定夺。先生同意后,又为我们的画册亲手题写了封签,文曰:"三友合集,丁丑春白石题。"又亲撰序言,并亲手书写,叫制版时用。文曰:"夫画者本寂寞之道,其人要心境清逸,不慕官禄,方可从事于画。见古今人之所长,摹而肖之能不夸,师法有所短,舍之而不诽,然后再观天地之造化,来腕底之鬼神,对人方无羞愧。不求人知而天下自知。此画界有人品之真君子也。今谢炳琨、雒达、卢光照二三同学,心无妄思,互相研究,其画故能脱略凡格。即粗枝大叶,皆从苦心得来。三年有成,余劝其试印成集以问人。丁丑四月题于故都,齐璜。"

齐先生这篇序言,为文不多,但对我们却具有非常深刻的教育意义!为人之道,为艺之道,创作之法,指的非常明确而言语诚恳。先生已弃我们学子归道山,然先生的谆谆教言,不敢一时或忘,已成为我的座右铭。一个正派的艺术家,不是必须有这些精神吗?

# 白石老人暮年变法

许麟庐

白石老师九十岁以后，画风一变。有些画看似不成章法；梅花蕊点在花瓣之外；叶筋越出了轮廓；丝瓜画得三尺多长；小鸡画成一只脚。过去他用墨或草绿画叶子，晚年在纸上直泼花青。世人对他这时的画大惑不解，议论纷纷，甚至有人说齐老已经糊涂，画得没有从前好了。白石老师却泰然处之，依旧在画案前寻寻觅觅，若有所失。偶有所得，笔起墨倾，欣然忘食。齐老师九十六岁那年，我到他家去，我说："老师呀，外边讲您九十以后的画糊涂了。我看您又变法了，又夸张了。"老人安定地看着我，注意地听着，俄顷，会心一笑，大声说："是的!老是那个样子，没得意思啊!"这句话，我久久玩味，永难忘记。我越是接近古稀，越发悟出此语乃醒人箴言。齐白石"衰年变法"，既忠实于天地造化，又不拘泥于物之表象，追求神似夸张，艺术上更登上一座新的峰巅，如今已为人所称道，世所公认。倘若老人墨守成规，不思进取，岂非匠人!倘若艺术大师没有这种不为世之诽议所动的求新精神， 没有这种百折无悔，孜孜不倦的毅力和胆识，人民的艺术家何在呢! ？

白石老人晚年曾为成都杜甫草堂作四幅杜甫诗意图。画毕，立即兴致勃勃差人要我来看。我看到这些难得的精品，顿时耳目一新，高兴地说：“棕树和水中之鱼这两幅好啊！别出心裁，从来没见过这种画法。”老师说：“是的啊，是的啊！”姜桂之性老而弥辣，当时老师却乐得像个孩子。他追求的正是“从来没见过”的新意。他的“衰年变法”，已结出了累累果实。这无双的佳品，是由多少酸辛苦辣所酿成的啊！作为他的学生，我深有所谙。他的身教、言教、笔教，永世铭记我心。

# 记齐白石数事

郁　风

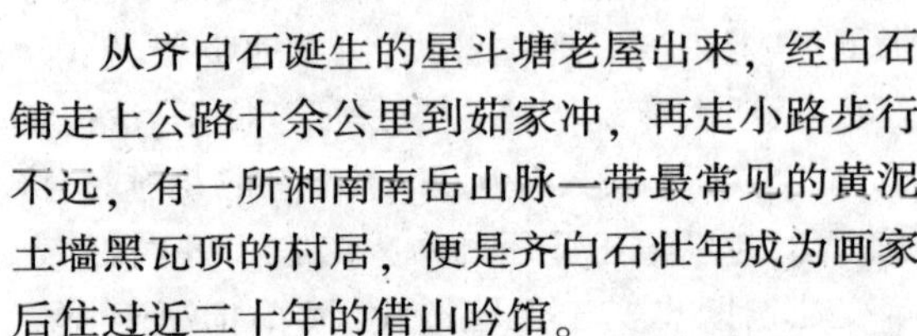

从齐白石诞生的星斗塘老屋出来，经白石铺走上公路十余公里到茹家冲，再走小路步行不远，有一所湘南南岳山脉一带最常见的黄泥土墙黑瓦顶的村居，便是齐白石壮年成为画家后住过近二十年的借山吟馆。

如果在欧美，这世界文化名人之一的齐白石故居，早已是修葺如当年情状，接待来自世界的游人，而不是如此荒凉了。

据年谱载，齐白石 1900 年就从星斗塘老屋迁此，租了两间小房。齐家小辈回忆当时是粉刷成白色的。至 1909 年，他几度出游卖画赚了些钱，回家修房子,扩大为四间,又写一匾叫寄萍堂。直到后来到了北京,在画上还常署寄萍堂主人。

这座房子借山之阴，面向北，后面长满杂树，屋前场坪却光秃秃。如今是齐白石的三儿媳、八十三岁的张紫环一家三代住在这里。想当年芝木匠曾美化环境遍植果树，并把旧式窗格改成自由开启的活叶窗,砍竹为槽,将山水接入厨房水缸,另有一番风光。

他在这借山吟馆苦读苦练，决心成为艺术家。在这里他将行万里路得来的“造化”创作出最早的山水画《借山图》数十幅大册页,那种纯朴稚拙的美，为他日后五十八岁变法奠定了艺术基础。可以说没有这借山吟馆近二十年的苦修,就没有齐白石。

他不但在这里吟诗作画,而且刻印,决心挑一担石磨成石浆。他自己记述当时满屋都成泥浆,于是后来他刻一章自称“三百石印富翁”,常见用于画上。

其实他刻印岂止三百,除名章外,还刻过许多闲章。我特别欣赏他的闲章的直抒胸臆,绝无俗态。如《星塘白屋不出公卿》、《我生无田食破砚》、《身健穷愁不须耻》、《流俗之所轻也》、《绕屋衡峰七十二》、《百树梨花主人》、《梨花小院怀人》等,均可谓“一空前古”。

在铁栅屋看齐老画画，就像看一个小孩专注的游戏一样。他根本不理会旁边有多少人在看他挥毫。他眯缝着眼,椭圆形小眼镜架在鼻尖上，两唇张开，下唇微动，似在用劲——我为他画过一张这样的速写像。他后来看了，在上面题两行字：某某艺精，为白石写像甚似，然非白石所有，余记之。言下对“非白石所有”似不满意。

他的笔运行很慢，并非一挥而就，但蘸墨蘸水用色之准确，真令人神往。他只用一两支笔，而且很少放入盂中去洗。一张画画完，盂中的水还是清清的。

他吃着湖南家乡菜时，和画画同样专注。

他的最后作品是一条幅牡丹。老眼昏花，用焦墨有一搭没一搭地画出的牡丹，就像醉酒的贵妃，就像盛开的花在狂风中摇曳。

有一张珍贵的照片：齐白石坐在中间，两手平举横笛作吹笛状，两眼笑成一条缝。周围一群女客俯身看着他，有的大笑，有的在拍手。记得那是在他的女弟子黄琪翔的夫人郭秀仪处。那天我和凤霞、祖光都在，可能还有他的另一女弟子胡絜青。老先生高兴了。不知谁递给他一支短笛。他用湖南乡音唱了四句山歌：

“一位姑娘七十七，再过四年八十一，要唱小曲难开口，有得牙来吹短笛。”正在此时有人拿相机咔喳一声拍了下来。

三十年后我在湖南湘潭齐白石的家乡，他的孙子齐佛来告诉我，爷爷幼时不但在牛背上吹笛，大了还会拉胡琴，一直爱弄乐器。他用雕花木匠的巧手，曾精心制做一支斑竹短笛，用贝壳镶出花纹，两端用长约寸许的白牛角镌成，一头缀上彩绦子。每当黄昏晚饭之前，他便吹起来，那声音悠扬响亮，四邻都能听到。

我忙问这支斑竹短笛的下落。佛来说，当爷爷还没上北京时，就有人愿出两担米的价钱向他买，他虽穷也不舍得卖，可是后来在逃难中被兵匪烧了。

# 画师李鹤筹二三事

侯及名

李鹤筹字瑞龄，山东宁津人，名其居为枕湖山房。民初来京就学于金北楼先生创办的国画学校，专工翎毛花卉，每月领取学习费，即今日之助学金。由于天资聪敏，勤学不倦，名列上等。临习了唐宋大家诸多名画和清代恽南田、郎世宁等大师的一些作品，对国画传统打下坚实基础。加以深入观察种种花鸟生态，掌握了表现技法，进一步独立思考，遂能创作出四季花卉及许多名贵禽鸟的画幅。用色鲜丽，构图巧妙，工细过人。

其临摹巨幅郎世宁古瓶荷花：石青色，古瓶斜插荷花，翠叶红妆，娇艳欲语，拜读之下，印象极为深刻。鹤老平日创作也非常认真，一丝不苟。诸如梅花、天竺、牡丹、翠竹、月季花、芍药、海棠等花卉及太平鸟、黄鹂、山喜鹊、朱点红等

禽鸟可谓神形兼备,且都出自传统笔墨技法,尤为可贵。

我从鹤老学画,早期同窗有郭传章、李福寿二公。郭是山水画家,又兼习花鸟,作品严谨工细,在琉璃厂售画多年,后任北京中国画院画师,当时常到鹤老处请安求教。1990年春过世,年八十岁。

李福寿早年为骡马市街李福寿笔店经理,后拜鹤老为师学花鸟。其制笔之精妙,冠绝一时,诸如大小白云笔、狼书画笔、紫狼书画笔、衣纹笔、叶筋笔、红毛笔、蟹爪笔等等,驰誉中外。每研制一些新品种,未登市前,必以之呈鹤老及分赠同学试用。笔管还刻好上下款,以为纪念,并请大家找毛病,以利改进。当时鹤老亦经常至笔店深入指点:如何选料、加工、题名等等,精益求精。所以用家无不交口称赞,货真价实。其白云笔分大中小号,狼毫羊毫兼鬃,软硬得宜,尖齐圆健,不独国画界称道,画水彩画者亦极喜爱。衣纹、叶筋笔以适用得名,系精选纯狼毫制成,一些工艺美术家乐得使用。再稍大号为点梅。大、中、小书画笔选料更精,宜书宜画,大小由之,堪称文房一宝。鹤老"文革"中过世,时至今日,北京制笔厂精选品之笔管末端,犹贴有李福寿标签。人只知李福寿制笔精能,却不知实有李鹤老之功在其中。

鹤老绘画工笔重彩,用色精到,亦因其尤善于制石色,所制石青、石绿、朱砂等皆名贵颜料。

选料、粉碎、擂研至极细，上火煮浮，漂取成色为水飞制法。漂制过程、操作工艺极为精细，成色鲜明合用，受到画界赞誉。北京琉璃厂与纸店、荣宝斋等常请为制色、选料。

鹤老所绘之工细花鸟画，细润可爱，出稿、设色均精妙，绢画更佳，雅俗共赏。一些国际收藏家、鉴赏家有专程前来求画者。

鹤老早年曾长期在天津河北女子师院任教授，卢沟桥事变后，回京课徒。建国以后，应孙其峰之请，重返该校任教授。几十年如一日，任劳任怨，桃李满天下，尤以京津等地为多。工艺美术学院许多教师与沈阳鲁迅美术学院国画系主任钟质夫教授等皆出自鹤老门下。“文革”前鹤老由津回京时已八十余岁，女儿墨琴与门婿晚辈等多为知识界知名人士，亦多从事绘画，世守家法。

# 徐操妙手画钟馗

黄　均

1926年，我十二岁，刚加入徐世昌用日本退回的庚子赔款创办的中国画学研究会。该会的入会条件，是要具有几年国画技法修养，那时我已在家中自学过山水、花鸟和少量的婴戏图等。可是入会之后，会长周养厂对我说：“你要将你

学过的山水和花鸟画先放一放，你入会后，先学人物画，因为人物画在中国画中是最难的一门，你必须先掌握它。”就这样，我加入了该会的人物组，向徐燕孙先生学习。徐先生名操，是当时有名的人物画家，他的工笔写意人物都达到很高的水平。会中还有山水组（由吴镜汀先生负责）、花鸟组(由王雪涛和汪慎生二位先生负责)、走兽组(由马晋先生负责)等。人物组就由徐燕孙先生负责，每星期开常会两次，每年开成绩画展一至二次。该会会址在中山公园来今雨轩东侧的董事房内。

我和其他新会员一样，每周两次例会全都参加，而且每次都携带人物画作业求教于徐先生。可是万万没想到，徐先生在会上总是和马晋、周元亮、张肖谦几位先生打打闹闹，说说笑笑，互相逗趣讥讽，态度傲慢，玩世不恭。有一次，当我拿作业请他看时，他竟然把它放在张肖谦先生的背上，一边和他说笑。他这次的轻浮举动更使我感到极大的失望和不快。

又是在一次例会上，会开到将近一半，吃完糕点(研究会备有茶点)，马晋先生(字伯逸，擅长画马)拿出百来张元书纸，对徐说：“燕孙，请你给我画判(“判”就是钟馗，传说他会捉鬼。吴道子首画钟馗，以后历代画家都画过)，要文的(指“文判”，就是钟进士像)，也要武的(“武判”，就是持剑捉鬼的钟馗像)。”当时我坐在桌旁，认为这么多的画，徐先生一定要拿回家中去画。出人意外的是,徐先生一副若无其事的样子,随随便便从笔筒中取出一枝旧笔,一边和马晋先生说笑,一边就蘸墨开始作画了。我在一旁看他怎样下笔,看着看着,不觉惊呆了。他不是先从钟馗的头部画起(画人物应先画头,然后再画手,从上画到下,一直画到脚为止,这是惯例),而是先从脚或手画起,接着寥寥几笔,钟馗的衣纹出来了,钟馗威武的神态出来了,而且文判武判变幻莫测。看他的下笔,有如笔走龙蛇;看他作画的速度,有如风驰电掣,没过多长时间,他竟然在一边与人谈笑,将一百张钟馗像全部画完了,真使人拍案叫绝。如果用杜甫诗句"笔落惊风雨"来形容徐先生的技法,他是当之无愧的。从此我改变了以前对徐先生的错误看法,开始对他怀着无限的崇拜和敬意,他是我第一位启蒙老师!

## 我与张学良

朱海北

我父亲朱启钤与张作霖在清末有过交往。光绪三十二年(1906),徐世昌任东三省总督,父亲任蒙务局督办,徐世昌任命张作霖为五路巡防营的前路统领。父亲几次外出视察,均由张作霖派人警戒护送。所以张学良与我家为世交,尊父亲为前辈。

1924年夏天，张学良曾从法国购进水上飞机，由秦皇岛至北戴河试飞。他到北戴河后即来拜访，并热情邀请我们全家去海边观看飞行，去后还上飞机作空中游览。中午，父亲设便宴招待学良将军一行。饭后由我陪同他们游览了观音寺、骆驼石、莲花石公园。学良将军当时二十三岁，风华正茂，英姿勃发，游览后又提出要打网球。我赶忙为他安排场地，约请球伴。他打得大汗淋漓，兴致极浓。晚宴由父亲假座霞飞馆举行，松涛草堂内外灯红酒绿，宾主尽欢。席间学良数次戏称我为海滨"案内"(日语"导游")。

在天津，张学良的家与我家为近邻。张公馆十分豪华，庭园宽敞，院内有网球场，楼内有台球房、跳舞厅。他每次回天津必邀我兄姐及其他世交好友去他家打球、跳舞。

我父亲的老朋友赵庆华有六男四女。赵一荻是他最小的女儿，人称赵四小姐。她是京、津、北戴河上层社交活动中的著名人物，我们都叫她"小妹"。一荻的六哥燕生和我同学，一荻和我六妹洛筠同学。她的姐姐和我的姐姐都是好朋友。张学良与赵四小姐的相识也在这个时期，她与哥哥赵燕生、二姐、三姐与我们交往，继而结识学良。

1926年冬我在天津举行婚礼，学良亲来祝贺。不久，我母病逝，我无心学业，父亲同意我投考北京黄寺的东北讲武堂北京分校。到北京才知学校已开学多时，中途不能插班。我的四姐夫吴敬安就带我去见学良将军，说明来意后，学良将军特别高兴，说："不必去了，就留在我身边熟悉一下军旅生活"，随即命我为三十四军团少尉副官，并随他驻保定，每日与司令部文职人员出操，学习《步兵操典》等项目，以后军衔累升至少校，但侍卫副官职务未变，具体工作是管将军的内务。学良将军每天晚上把次日的安排告诉我，我就为他准备服装和所需物件。在应酬客人时，我的任务是陪他和客人打桥牌和高尔夫球。

张学良将军的侍卫副官中有所谓"五大少"，即曹汝霖的儿子曹璞、吴俊升的儿子吴泰勋，何东的儿子何世礼、张海鹏的儿子和我。平日外出为防止意外，我们这些近卫侍官总穿上与学良将军相同的服装，分乘两部轿车以便保卫。由于我的身材与张学良最相似，他在外定做服装均由我代替他去量裁，而且一式两套，使我记忆犹新的是为他在北京增茂洋行定做那套"双十"阅兵礼服，我曾三次由沈阳专程到北京试穿。这套新式陆军大礼服，上衣瓦灰色，裤子黑色镶红道。帽子为平顶法式军帽，帽顶有金十字花纹，帽檐饰一圈金色花牙，正面饰金质面牌，没有缨络之类的装饰物。

在学良将军处，我可以登堂入室，不必回避内眷。他与家人同僚之间相处，十分注意称呼上的礼仪，如他称于凤至为"老大姐"，叫赵四小姐为"小妹"而不是"小四"。于凤至夫人、赵四小姐都称他为"小爷"。学良将军最讨厌人家叫他"少帅”,认为这和“衙内”的意思差不多,令人感到他是依仗父亲权势的人。他要求部属称他的职务,如“军团长”、“司令”、“总司令”等,只有少数长辈才叫他“汉卿”。莫逆之交如胡若愚等私下称他“汉爷”。至于叫他“小六子”的只有张作霖一人,其他人谁也不敢这样叫。

# 琐记居正

杨玉清

居正是国民党元老,辛亥革命首义的“功臣”,平时给人的印象好像有几分“傻劲”。抗战时到了重庆,他身为司法院院长,却“噤若寒蝉”,不敢对蒋介石讲一句话。有人当面问:“居先生为什么不讲讲话?”他说:“天下哪有俘虏讲话之理?”当时他自视为蒋介石的“俘虏”!

居正反对国民党改组,他是国民党的右派,即所谓“西山会议派”。这些人在大革命时期组织了国民党特别委员会,举反共旗帜。直到武汉国民党政府公开宣布反共以后,才撤销了这个特别委员会。但他们心有不甘,暗中仍继续活动。他们既反共,也反蒋。反蒋的缘由竟是说蒋太左,连汪精卫这样的人,都被他们指为“准共产党”。

居正在上海期间是“反蒋中心”。那时熊式

辉任“淞沪警备司令”,居正的反蒋活动反到熊式辉身上,于是熊式辉向蒋介石告密。熊对传话人蒋尊簋说:“请居先生来此共商大计。”老奸巨猾的居正被熊式辉骗了去,一到就被铐了起来。直到有人向蒋介石说起此事,才给居正松了铐,从上海提到南京,禁闭在南京鼓楼一座大公馆里。

居正押在南京时,一面敲着木鱼念经到深夜,一面却向外传送秘密指令。“九一八”以后,风云变幻。当时日本首相犬养毅与居正有千丝万缕的关系,他有心提居正为“东北边防司令长官”,代替张学良的位子。此事虽未成,但给蒋介石的印象很深,认为居正在日本人方面有影响,还有利用价值。因此,“九一八”事变后,居正不但从牢里放了出来,而且当了司法院副院长,以后又升院长。

抗战初期南京撤退前,蒋介石召开会议,问大家是主战还是主和。居正主和。他说:“没人签字,我签;没人做汉奸,我做。”事后有人问他为什么这么说,他说:“我是试试蒋介石的决心。”

1946年,蒋介石竞选总统。在南京的湖北同乡曾聚会,想推居正竞选副总统,居正立即站起来表示:“要竞选就竞选总统,用不着竞选什么副总统,有我一票也好嘛!民国元年南京选总统时,各省代表都选孙中山先生,只有我的一票投的是黄克强。”当时他以蒋介石比孙中山,以自己比黄兴。

居正不修边幅。在南京初任司法院院长时,

有一次国民党中央党部开大会，他戴着睡帽走向会场，蒋介石走在他后面，看不顺眼，亲自抓掉他头上的睡帽。

抗战结束回南京，许多人住房有困难，而居正的住宅比原先的更大更漂亮。原来是日本人保护他，为他改建的。全国解放前夕，他逃到台湾，他靠的不是蒋介石，而是日本人。因为他的女儿由日本人抚养，长大以后又嫁给了日本人。逃台之前，他的日本女婿早已在台湾为他作好生活上的一切准备。有人说：即使蒋介石集团不去台湾，居正也是要去台湾的。

居正在南京任司法院院长时，曾与湖北同乡搜集《湖北文徵》材料，以后全部交当时的湖北省政府主席万耀煌。

居正著有《梅川日记》一册，原名《辛亥杂记》，记述辛亥革命事迹，1944 年印于重庆。写此书时，他经常请教于住在北碚的熊十力先生。熊先生为他作序，评为“中国信史”。这本书可作辛亥革命史的参考资料。

# 张自忠二三事

卢光照

抗日战争初期，我是张自忠将军部下的一名文艺兵。当时我在张将军的三十三集团军总司令部“抗敌剧团”作领导工作，驻防、行军，都追随在张将军左右。张将军给我们训过话，开过座谈会，对我们教益很大。尤其他的身教，使我获益匪浅。他治军严，赏罚分明。他领导的这支部队，纪律如铁，能攻善战，我们做宣传工作的，也经常贴出“我军过境，秋毫无犯”这类标语，借以昭示天下，并教育部队。张将军的部队从不拿人民一针一线，偶有例外，他必严惩不贷。记得徐州会战后转进时，张部是掩护几十万友军的殿军，千军万马，向一个方向撤离。一日夜间，我部突围在一山坡小憩，忽然后边赶来一掉队士兵，因艰于行，用毛驴代步。张将军知道后大怒，立刻把他传来，审明他骑的是老百姓的牲口，便不由分说，毙于坡下，说道：像这样的东西，还能指望他打仗!失人心者失天下，今后再有扰民者，杀无赦！当时我们正在张将军左右。后来作家老舍写了一个剧本，叫《张自忠》，在后方演出，其中就有这一情节。

1938 年 3 月，日寇板垣师团进攻山东临沂，守城的庞炳勋部队，力不能支，有被围歼的危险。张将军奉命驰援，日夜兼程一百八十里，赶在敌军围城前面，在茶叶山、汤头镇等地，给敌以迎头痛击，解救庞军于水火。往昔庞张矛盾甚大，庞有负于张将军者实非常人所能忍。但张将军只报国仇，不计私怨。高风亮节，可昭日月！那次急行军，可谓苦极。累了路旁原地稍坐，饿了啃口干粮，脚底打泡，刺破了再走。人人只有一

个心愿:黎明时赶到临沂。当夜行军,张将军弃马与部队同行,走过我们队列时,他有说有笑,不时还带领队伍唱几句歌,用以鼓舞士气并解除疲劳。不然大家半睡半醒地走路,说不定要摔倒在地了。

张将军指挥作战,每告诫部下要有必死决心,和坚持到最后一分钟的精神;要以死求生。有一次前线某营长告急,要求增援,张将军说,我们困难,敌人也困难,我们疲劳,敌人也疲劳,要苦撑!苦撑!苦撑!谁能撑过最后一分钟,谁就能胜利。又一次,有一支队伍向他紧急求援。他告以苦撑,对方还是祈求。张将军怒道:你等着,我张自忠去给你增援!无援可增,只有死里求生,与敌苦拚!结果真击溃了来犯之敌。

1940年5月,张自忠将军在宜城、襄阳一线与数倍的敌军激战,不幸壮烈牺牲。当部队将张将军遗体运回襄河西岸总部公祭,我们向他告别时,官兵百姓,无不痛哭失声。

## 我与蔡老板

郁　风

从30年代中到40年代末,许多熟人都认识蔡老板,而且无论那人思想上是偏左偏右,提起蔡老板都带着好感,说他是够朋友的好人,有本事，有办法，路路通，可又不嚣张，不露痕迹，平平易易。但他究竟是哪路财神？如何起家？为什么做好事？却又没有人能说得清。因为按当时习惯，不应当追问。

抗战前我在上海，从救亡运动和左翼戏剧电影圈内就听说过“蔡老板”其人，但从未见过面。1939年11月23日，我父亲郁华(任上海高等法院第二分院刑庭庭长)在租界被敌伪特务机关派人暗杀(他是司法界为抗日牺牲的第一人)，当时引起很大震动。我闻讯后从香港回沪奔丧。1940年4月，上海商会、律师公会等各界数十个团体，在湖社举行了相当盛大的追悼会。追悼会当天早上，有人送了个极大的蓝色霓虹灯管做的“奠”字，布置在礼堂当中，说是什么电机公司蔡老板送的。散会后，我作为家属之一在礼堂中站着谢客，有一个人跑过来轻轻报名蔡叔厚，与我握手，并简单而郑重地问我有何需要，他可帮忙。我想不起蔡叔厚是什么人，当然也不敢造次。

回到香港后不久，我与夏衍同志谈起上述之事。“噢，蔡老板嘛！”夏言下似乎很了解他，认为他送个霓虹灯“奠”字并表示要帮助我，是理所当然。这时，我又记起上海追悼会上对蔡老板的一瞥，以及他对我那种特别诚恳亲切的表情。不用问，蔡老板一定是“自己人”。

1947年，在国民党军统特务上海站站长王新衡(苗子的老朋友)家里或宴饮场合，我又经常遇到蔡老板。每当别人不在场或离得远时，他总

悄悄问我一些文艺界朋友的近况，如夏衍、于伶、陈鲤庭等人。那时他已拥有钱庄、钢铁厂、保险公司等企业，确是名符其实的大老板。

1948年11月，解放大军将要过江之前，我为了把两个孩子送交婆母，去了一趟香港。老领导夏衍和潘汉年同志约我在香港酒店咖啡座见面，除向我谈了党的政策、战争与和谈形势之外，还特别要我带一个重要口信给蔡老板，嘱他加紧做汤恩伯的策反工作。

回到上海后，我住在善钟路(如今的常熟路)母亲家里，同王新衡住所只隔几号门牌，我就利用王家和蔡老板见面，在和蔡一同告辞出门后把口信带给了蔡老板。

解放后，我反而没有机会再见到蔡老板。直到文革末期，我从秦城监狱出来，才听到有关他的消息：蔡叔厚同志已冤死狱中。

# 蔡老板传奇

郁　风

最近从几种海外报刊上，看到了有关这位特殊共产党员蔡老板出生入死、忠心耿耿在黑暗中为党工作的报道。消息来自他的老战友，确实可信，读后令我潸然泪下。

蔡老板，药材店学徒出身，在浙江甲种工业

学校苦读毕业，当了上海日本纱厂的机工。1921年考取官费留学日本，在电机专门学校毕业后，入东京工业大学做研究生。1924年回到上海，为实现实业救国的理想，创办绍敦电机公司。

“五卅”运动、北伐等革命浪潮冲击了蔡老板，使绍敦电机公司成为革命者、共产党人的聚会点，常去那里碰头的有叶剑英、李维汉、匡亚明、夏衍、廖承志、冯雪峰、彭康、潘梓年等。

1927年“四一二”以后的白色恐怖中，夸夸其谈的人吓破了胆，有的登报声明退党，有的当了叛徒。蔡叔厚说：“看到革命者一天天牺牲，一天天减少，我觉得有责任补上这斗争岗位。”于是正式被批准加入了中国共产党，绍敦公司便成为党中央设立的联络站。

广州起义失败，各地清党，陆续到上海通过这个联络站找组织的有叶剑英、曾宪植、邢西萍(徐冰)、廖承志、匡亚明、李求实、李一氓等，还有从九江俘虏营逃出来的刘鼎、钱俊瑞。当时党组织遭严重破坏，已无任何经费。全靠蔡老板以营业收入给他们接济食宿和赠送路费。

绍敦电机公司成为党的交通联络站后，便引起上海警备司令部和租界巡捕房的注意，但依靠党的情报工作，常能事先做好准备，使同志们安全脱险。有一次得到消息说，夜里要来包围大搜查。蔡老板要求留下应变，结果敌人一无所获而去。

1929年，红军壮大，苏区建立，急需筹建军

用电台。党中央派吴克坚领导这一工作,派李强和蔡叔厚担负试制收发报机的任务。绍敦公司迁往法租界福煦路四〇三号,就在二楼安设秘密小型工厂,试制出第一批无线电收发报机。从此党中央和各苏区、白区间才有了通讯联络网。

30年代初,蔡叔厚参加了党的秘密情报组织,曾任上海站负责人。从此他中断了和党内一般同志以及左翼朋友的来往,利用资本家老板身份出入政要上层社会,往来于北平、东京、上海之间,为此遭到党内同志的误解、非议。这一时期获得的重要情报很多,如蒋介石请德国军事顾问设计对付红军的"梅花碉堡"战术、在国民党军政部兵工署发展了秘密地下组织、在日本设立了情报联络站、送蒋介石的机密文件"兵工月报"和日本的侵华部署(如参谋本部五千分之一的精密地图)等等,都送交党中央了。

上海沦陷成为孤岛期间,蔡老板还出钱出力支持进步剧影运动,建立了上海剧艺社和昆仑电影公司,拍出《一江春水向东流》、《上海屋檐下》等优秀影片。

解放前夕,蔡老板曾说服汤恩伯释放陈鹤琴,掩护逃避追捕负伤的同志刘少文在家养伤并送他去石家庄。龙华兵工厂的策反工作、青岛中纺厂的护厂工作,均见成效。劝说汤恩伯和驻防沪西第一军军长吴某起义虽未成功,却是要抛开生死去做的。

解放后蔡老板把全部企业清理交公,成为

开明资本家、党外民主人士。不知何故，他的功绩和党籍始终未被承认，更未被重用。1955 年受潘汉年事件牵连，几乎被捕，当时已报中央，周恩来总理批示时为他开脱了。但文革开始，他却被捕入狱“补课”。一生为革命奉献的蔡叔厚同志，于 1971 年 5 月 6 日含冤死于狱中。

粉碎“四人帮”后，从 1978 到 1983 年，对他的平反结论先后修改了三次。最后是党中央组织部经过反复研究，终于批准为蔡叔厚同志恢复党籍，党龄从 1927 年入党之日算起。

# 孙立人与篮球

吕德润

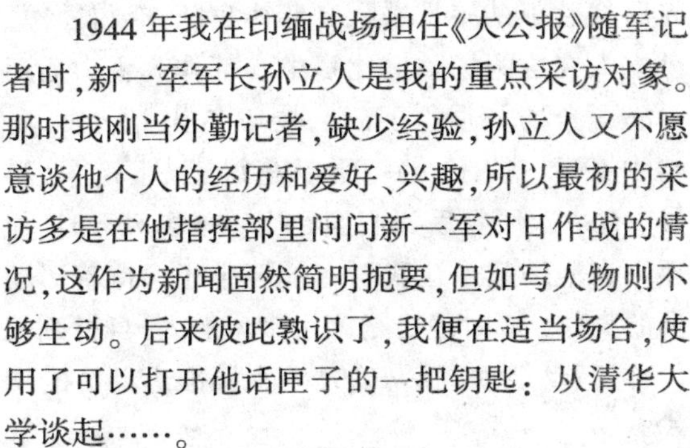

1944 年我在印缅战场担任《大公报》随军记者时，新一军军长孙立人是我的重点采访对象。那时我刚当外勤记者，缺少经验，孙立人又不愿意谈他个人的经历和爱好、兴趣，所以最初的采访多是在他指挥部里问问新一军对日作战的情况，这作为新闻固然简明扼要，但如写人物则不够生动。后来彼此熟识了，我便在适当场合，使用了可以打开他话匣子的一把钥匙：从清华大学谈起……。

孙立人十四岁便考入清华学校(当时清华招生从中学开始)，二十三岁大学毕业，他在“水木清华"长达九年(1914—1923)之久，所以他对清华大学有着深厚的感情。他能记住不少老师、同学的姓名和外号(他自己的外号叫"站人"。由当年一种银元上带有站立的洋人图像而得名)；他还记得学校中的一些趣事，特别是谈起打篮球，更是他的得意话题。加上我也爱打篮球，与他有共同语言，所以饭前饭后闲谈时，能谈得十分热烈。

孙立人说，他曾经是清华大学篮球校队的主力队员。当年北方几所大学如师大、北大、南开都有自己的篮球队，互相比赛，竞争激烈。清华队技压群雄，因而常胜。那时北方大学篮球水平比南方大学高，1921 年第三届远东运动会时，中国篮球队是以北方大学球队为主而组成的，孙立人也被选入国家队。过去远东运动会上，篮球冠军多为菲律宾夺得，1921 年这一届，中国队先后战胜了劲旅日本队和菲律宾队，夺得冠军。孙立人在这两场关键比赛中，都作为主力后卫打满了全场。他满场飞驰，技巧突出，地上截球，空中夺球，都有一手，所以获得了"飞将军"雅号。有一次便餐后我们谈到当年球场风云时，他还兴奋地站起来让我看，他至今还保持着运动员的身材。那时他已是四十多岁的人，身材细长匀称，行动轻便灵活，确是一个标准运动员的架式。

一别多年，后来听说他在台湾先是官运亨通，以后蒙冤被监禁三十多年。九十大寿时有过

盛大纪念活动,他尚能自己行动,谈吐清楚地接见盈门宾客。1990 年 2 月,北京《团结报》转载台湾消息称:孙立人九十一岁寿辰时,台湾篮球协会曾向他奉献“篮球泰斗”金字奖盘和有台湾篮球名将们签名的纪念篮球。孙接见了代表,并愉快地与他们畅谈中国球坛往事,还说,他对篮球运动的兴趣及关怀,七八十年来热情未减。

是时，北京正为即将举行的亚运会广邀宾客，我有意请有关方面邀请这位老资格的篮球国手，来京观看篮球比赛。后据台湾方面的讯息,孙立人已因肺炎住进医院,1990 年 11 月 19 日逝世。

# 黄乃裳与简体字及其他

黄墨谷

福建闽清人黄乃裳，名黻臣，以字行，在他的《绂丞七十自叙》中有一段记载，略谓："光绪戊戌年间，余入京会试。适德宗愤外力之侵凌，内政之腐败，毅然以变法振兴中国。康有为六君子等在京辅佐之。戊戌五月以后，按日下维新谕旨一道，举国耳目为之一新，精神为之一振。而余以为时会可乘，径留京八阅月，曾八上书，其已批发，仅请行简字一折。批书中举粤之王炳耀、厦门之卢戆章、福州之力捷三等人所著简字，均有足采，而可施于中流以下社会。旨下翰林院，要闽粤总督调送三人所著来京察核。不料戊戌八月初，西太后慈禧垂帘之诏又下，六君子被逮，十三日受戮于柴市。呜呼！三十年之热肠渴望，一旦飘荡于罡风。”

黄乃裳居京华八月，视察官场社会及满洲人之状态，知非革命不足以救弊。同时当日上书之二百余人案发，黄乃裳名列第十一，乃星夜离京奔南洋。其长女嫁新加坡林博士文庆，林为蜚声世界名医，思想新颖，亦有志于改革，故岳婿二人，相得益彰。甲午以前，新加坡华侨所设“古友轩”会所筹办《星报》，林文庆特荐其岳翁任总主笔。乃裳以闽人自明末后冀免满清苛政，历年聚居南洋群岛者，数逾百万，久欲乘机向他们大声疾呼，灌输以国家思想。其时乃裳虽年迈，而林文庆已与孙中山先生订交，革命思想已骎骎入南洋。乃裳便与文庆造中山先生寓所晤谈数次，见其人谦恭镇定，学问渊博，满怀悲悯，流露于言行举止之间，翁婿二人遂决心参加同盟会。乃裳得其婿与邱菽园先生之助，一方面募集闽省失业之壮农到马来西亚之古晋垦荒，一方面遍走南洋群岛宣传爱国革命思想。辛亥八月(1911 年 10 月)，武昌革命军起，时乃裳正在古晋，星夜买棹回闽运动响应，并电南洋陈嘉庚先生等筹措巨款寄福建，不久福建光复。1912 年元旦孙中山先生在南京就任临时大总统，立即聘林文庆为总统府机要秘书。

从 19 世纪末年到 20 世纪初，南洋华侨觉

悟提高,逐渐由狭隘的家族、家乡观念扩展到民族国家观念,这种新思想的前驱,当首推林文庆与其岳父黄乃裳先生。

# 那桐卖官鬻爵

舒 諲

清季大吏,贪墨成风,满族亲贵中如庆王奕劻和军机大臣那桐,更以贪赃索贿名传当时。我父冒广生(鹤亭)于光绪末任刑部郎中,旋以候补道待分发。有一次,父亲通过别人介绍谒见那桐。那桐早已知道我父是为了请求外放实缺而来,寒暄几句之后,即吩咐门下书办作东,邀往一个僻静的小饭馆吃饭。席间,书办说道:“冒大人蒙中堂赏识,不久外放道台实缺,可是个美差呀!”当时政以贿成,每个道、府都看地方的肥瘠而订有“上供”的不同价码;又视报效多寡而定道、府的等次。有些老于此道的机智者,除写立字据按时报效银两若干外,还答应酌予相府上下办事人员若干,最伶俐的甚至提请推荐银粮、刑名师爷,日后坐地分赃。父亲不懂做官的窍门,懵然不知这顿饭的用意在谈交易,听了书办说毕,只是连连举杯称谢“中堂的恩典”,而始终不提上任后怎样报效。那桐的那个门下吏见话不投机,撞了木钟,也就不谈下去,说了一声“怠

慢,怠慢! ”散席即掉首而去。

隔了几天,我父将这事同朋友说起,正自诧异怎地得不到一句实话，朋友突然从座上一跃而起,责怪我父不懂世故人情:“鹤亭,这档子事眼看要砸锅。老弟你怎么连官场的规矩也不懂?如今托人办事能不花销点,意思意思?”父亲辩解:“我跟人家初次会面,不知他的底细,怎好开口行贿?”“你太老实了! 那人一见面就恭维你受中堂赏识,这不明白告诉你外放已不成问题! 就只等你说出一个数目字了。你真是个没见过世面的书呆子! ”友人说完,拍拍我父亲的肩膀,又道:“赶快回请那位书办,在席面上挑明,立个字据,也许还能挽回。”

我父走出友人住的会馆，就去金鱼胡同那桐府邸请谒，竟被门房挡驾。这事也就石沉大海,永无下文了。

# 吴禄贞建戍边楼

刘北汜

“九一八”事变前,我读书的吉林延吉县(今延吉市)县立第一小学,每年春季全校师生都要到县城四郊远足旅行一次。给我留下印象最深、至今难忘的是布尔哈通河南五六里处的一座古建筑——延吉边务督办公署的戍边楼。

戍边楼为中西结合的二层楼，是督办公署的中心建筑。面阔七间，进深三间，四周带围廊。屋顶为四坡顶，无垂脊，只有一条筒瓦垒砌的正脊。檐柱方形，柱头之间镶倒挂楣子。檐柱与楣子相联的转角处镶花牙子。二楼围廊有木栏杆。下层屋门开在正中明间中央。西式玻璃窗，窗格上端为弧形。

楼建成于宣统元年(1909)，当时，主持修建的延吉边务督办吴禄贞，曾赋诗抒怀：

> 筹边我亦起高楼，极目是关次第收。万里请缨歌出寨，十年磨剑笑封侯。鸿沟浪静金瓯固，雁碛风高铁骑愁。西望白山云气渺，图们江水自悠悠。



吴禄贞(1880—1911)，湖北云梦人，字绶卿。早年到日本学军事，加入兴中会。1907年(光绪三十三年)随东三省总督徐世昌到奉天，任军事参议。当时日本正诡称延边地区(包括延吉、珲春、和龙、汪清等县)一大片面积大于台湾的土地，是中韩界河图们江中一个岛屿，名“间岛”，“属清属韩未定”，并非法派出斋藤季治郎中佐率军警，在龙井村设韩国统监府间岛派出所，同时派遣大批间谍特务到延边活动。吴禄贞在这种情势下受命，在当年6月来到延吉，处理边务问题。吴禄贞不畏强暴，多次往见斋藤交涉制止日方活动，又亲率随员沿图们江稽查界碑，考证史乘，测绘地图，历时七十多天，主持写出《延吉边务报告书》三大册，力证延边一带并不是什么“间岛”,而是自古即为中国领土,提交清廷,作为与日方交涉的依据,从而保全了延边地区数万平方公里的土地,挫败了日方阴谋。也就在这期间,吴禄贞为维护我国的疆土主权,为证明从延吉到图们江之间的大片土地属于中国,他特意在延吉城南的布尔哈通河南岸主持修建了这座当时延边地区最大的衙署——延吉边务督办公署。它建成之日,也正是吴禄贞诗中所说的“鸿沟浪静金瓯固”,“图们江水自悠悠”之时。吴禄贞有胆有识,自是功不可没。

我第一次见到这片古建筑时,它已建成二十多年,历经沧桑,几次易手。先是吴禄贞被调离延吉,督办公署于宣统二年即被裁撤,改为吉林东南路兵备道台公署。民国二年(1913)正月,又改为吉林东南路观察使署,次年再改为延吉道尹公署。民国十八年(1929)二月,复改为延吉交涉署。同年,又改为延吉市政筹备处。

辛亥革命时,吴禄贞任新军第六镇统制,驻石家庄,其后又署理山西巡抚,曾密谋联合北方新军举兵反清,1911 年 11 月 7 日被袁世凯派人刺死于石家庄。

噩耗传到延吉,当地人收集吴禄贞的诗作,编成《吴绶卿先生遗诗》一书,附录《延吉哀挽录》,其中诗文称颂吴禄贞:“筹边挽千里,金汤厥功伟”,“长白山政声宛在,斯民有口皆碑”。

民国初年,延吉各界人士追怀吴禄贞有功于民主革命和捍卫边陲,又集资在原延吉边务督办公署大院外西北隅，树立“吴都护禄贞去思碑”。民国十五年(1926)，又移建此碑于延吉西花亭子公园南门内往北一百多米处，围栽松林，供更多的人瞻仰。“九一八”事变后，此碑碑文被日伪统治者凿毁，字句已无法辨识。1933年，日本人在公园内建“神社”，竟借口此碑挡道而予以拆除，不知埋到什么地方去了。

# 剪辫子杂忆

吴蔼宸

辛亥革命那年，我二十一岁，正在学校念书，喜欢阅读从日本传来的《民报》、《天讨》、《新民丛报》等报刊，受到革命思想的感染。学校里革命气氛也很浓，学生中有玫瑰花社、昨非社等组织。辛亥革命前几个月资政院讨论剪发不易服案未通过，但我们学校各科已先后有十二人自行剪发。我和一位同学到苏州胡同日本理发店，每人付五角钱，剪去了辫子。每天上课时很是得意，觉得自己很革命。

一天，总监督刘廷琛遇一剪发学生，大为震怒，传命无辫子的学生课后都去谈话。十二位同学战战兢兢鱼贯进入总监督办公室，只见刘正在用午餐，桌上摆满丰盛菜肴。我们依次坐下，他不予理睬，从容进餐。餐后漱洗完毕，面带怒容发话:“身体发肤受之父母,不敢毁伤。你们心目中无父无君,我亦无法维护,只有把剪发的学生全体开除,以示惩处。”我们都很害怕,俯首不敢作声,只有刘的得意门生、一向为刘器重的工科陈其瑗同学发言为大家辩护。刘对陈说:“没想到你也参与这种不轨行动。”结果他改变了开除的决定,改为给每人记两大过、一小过,并命令无辫学生上课时必须戴上假辫,责成学监认真监督,严格执行,警告牌挂了很久。从此剪发学生出入都戴假辫子,毕业时又被校方扣去很多分数。

那时我已结婚,在地安门油漆作胡同租房居住。每天早上赶到北京大学上课,常常碰到摄政王进宫清街,于是就被堵在胡同里。禁卫军将枪口对着胡同,对我们这些戴假辫子的怒目而视,想必疑惑我们是海外来的革命党吧?

# 段祺瑞电请共和之又一说

邢赞亭

辛亥武昌起义之始,清廷为镇压革命,组织三军。一军沿京汉路南下,由荫昌率领;一军沿津浦路南下,由冯国璋率领;一军为禁卫军,旨在巩固京畿治安,由载涛率领。嗣因荫昌逗留不进,改以冯国璋代之。迨攻下汉口、汉阳之后,前敌各将领如李纯、王占元等,以武昌唾手可得,为个人权利计,竟欲渡江。时袁世凯已入京为内阁总理大臣,冯因受有密令,坚持不允。各将领争执益力,与冯吵闹不休,张敬尧滋扰尤甚。冯将桌案推翻,甚至有"如再抗违,决以军法从事"之语,张敬尧始稍稍敛迹。不久冯亦调回,易以段祺瑞。段到广水,恃其旧日声威,数日之间,不与各将领相见,令人莫测高深。因此益触冯怒,悬炮将击之。段闻之逃归保定。按照专制时代法令,大将擅离职守,例获严谴。正在进退维谷之际,唐继尧独立后,靳云鹏适自云南逃回,前来谒段,谓不如乘此机会,电请共和,既可开脱自己罪名,又能博取民军同情,实为一举两得。段从之,遂发电。时冯寓北京煤渣胡同,靳特来谒见。冯谓哪个坏蛋为之出此主意!极口谩骂,声色俱厉。靳面赤耳热,几乎无地自容。陈之骥从旁解围,始得出门而去。

陈之骥先生述电请共和情形如此，与世人传闻颇异,姑录之以供参考。

# 容龄谈清宫往事

朱海北

清末驻法公使裕庚有两个女儿：德龄和容龄。她们曾随父去法国,会说法语和英语。归国后随母入侍清宫，常为西太后弹钢琴、跳芭蕾舞或陪西太后接见外国公使夫人。清亡，德龄在美国结婚，所著反映宫廷生活的《御香缥渺录》和《清宫二年记》，脍炙人口。容龄留在国内，嫁给曾任总统府侍卫武官的唐宝潮。她常为人叙述清宫往事，这成为她晚年生活的主要内容。

1921 年秋季的一个晚上，容龄在灯市口中华基督教会大礼堂向外侨介绍清末宫内情况，卖门票，票价每张一元大洋，用来为贫穷学生办学。在北京，作讲演公开卖门票，可以说始于容龄。我曾听过她的讲演。那天容龄身穿粉红色镶金边的旗袍，袍面绣着龙，上嵌珍珠。她梳着旗头鬏儿，足穿薄底绣鞋，完全是清代皇家妇女的装束，却操着一口流利的英语，很引人注意。她说这一身服装是西太后赐给她的。

容龄说西太后很注意外国的事情，常向她们姊妹俩打听法国的服装样式。西太后只喜欢芭蕾舞中的几个动作，所以她们跳芭蕾舞时，常常重复这几个动作。西太后接见俄国公使勃兰特夫人、美国公使康格夫人时，她俩在座，西太后穿的旗袍上有珍珠镶成的“寿”字，头上戴的首饰也是“寿”字形，她很注意长寿这个颂语。西太后还专门学了一些外交词令，作应酬用。

容龄口中的光绪皇帝是个英明君主，好学勤读，很愿意了解世界大事，所以极愿接近容龄姊妹。皇帝也喜欢音乐，常让德龄教他弹钢琴，一学就会。他心事重重，但常强作欢笑。

容龄还讲了一些西太后饮食起居的事情。

容龄作过几次类似这样的讲演。民国以后她有时还在北京饭店表演她自编的舞蹈，也卖门票，收入捐作办学之用。解放后她任中央文史研究馆馆员。法国大使馆知道她是中国最早的驻法公使的女儿，有时请她参加一些宴会，她卒于1973年。

# 《字林西报》记者与吴佩孚

孙丹林

1926年，吴佩孚二次出山被北伐军击败，由武汉退驻郑州。当时我在上海，有一天，吴在上海的特派员温世珍来访，说《字林西报》记者索克思邀我去他寓所茶点，密商要事。

那是圣诞节的下午，温世珍驱车接我至索克思家。索克思夫人是福建人，她捧出一盘大蛋糕和一壶咖啡来招待。其间索克思说：英国政府和英国的投资家害怕北伐成功、共产党势力发展，非常希望吴佩孚重整旗鼓，抵抗北伐军，英方会尽力给吴军火、款项的支援。温世珍也说，索克思是受英国有实力的经济集团委托同我商量此事。希望我协助，促其早日实现。我告诉索克思：吴佩孚与我关系很深，如果吴能掌握中国政权，我当然高兴。但我认为，吴佩孚只有特识而无常识，不懂政治，不能容人；善不能用，恶不能远。既没有孙中山革命的气魄，也没有袁世凯奸雄的才具，缺乏领袖素质。我说到这里，温世珍用脚在桌下踢我，我就没再说下去。索克思最后说，英国人将派人去郑州考察吴的政绩，然后决定。

两周以后，温世珍告诉我，索克思派往郑州的人已返回，考察结果认为吴的部属一盘散沙，无所作为，前议作罢。

## 总司令请秘书长剃头

万枚子

1927年4月，黄少谷大兄持李守常师亲笔荐函，见冯焕章(玉祥)将军于西安，畅谈天下大势。冯大加器重，任为总部宣传处处长。年底会师郑州，创办《革命军人朝报》，冯亲题报名，黄兼社长。1928年1月，少谷介绍我任冯部秘书兼《朝报》总编辑。不久，少谷即擢升秘书长，接替何其巩，年甫二十七岁。

二次北伐开始，冯下令全军剃头，令文略谓："查全军将士发式多样，有所谓平头、分头、背头、学士头、博士头、鸡头、凤头之类。自令到日起，一律剃光，以资整齐而昭划一。"令文出于秘书贺子远(亦《世界日报》同仁，后曾任《中央日报》编辑主任)之手，"鸡头"、"凤头"系冯亲笔增加,针对女同志而言。她们当然不会剃光,就改蓬松为短发。士兵早就是光头,将、校遵令即推光或剃光。独黄秘书长背发俊秀,觉得剃头可惜,迟迟未决。最后,传令兵奉谕向黄少谷立正云:“总司令传话,请秘书长剃头!”黄秘书长摸摸头发,无可奈何,只好推光。当时,我戏作《新调笑》云:“胡弄,胡弄,满头学博鸡凤。令颁怎好罢休,‘请秘书长剃头!’头剃,头剃,真个整齐划一。”

# 百鸟堂

吴空

清初,法国传教士张诚、白晋等来中国,他们曾为清廷做过一些工作。康熙帝为了奖励他们,在皇城内赐给传教士广厦一所,命名为救世堂。康熙亲笔题写了“敕建天主堂”的匾额。这就是北堂。北堂的位置在西苑紫光阁以西,羊房夹道(今养蜂夹道)以南,地名为蚕池口,因此,北堂也叫做蚕池口教堂。

道光年间,清廷籍没北堂,并予拆除变卖。1860年签订的《北京条约》中规定,归还北堂,并予重建。同治四年(1865)北堂重新建成。这时来华的法国传教士中有一位名叫达米德的,是生物学家。他游历了中外的一些名山大川,采集了不少花卉鸟虫的标本，他在北堂建立了一个标本室，取名百鸟堂。百鸟堂有珍禽标本八百余种，虫豸蝴蝶三千余种，还有一些走兽的骨骼标本。据光绪年间任北京法国教堂大司铎的樊国梁记述，百鸟堂开放时，许多达官显宦、王公贵族都携眷前往参观，传说西太后当时也曾微服前往。

后来，为了西太后归政颐养，大修三海，清政府出巨款将北堂迁建于西什库。光绪十三年(1887)，北堂由清廷收回，百鸟堂也由传教士献给西太后。西太后和光绪帝于光绪十三年十二月十五日还亲自查看了北堂。从奉宸苑接管北堂清单上看，百鸟堂中有各种标本十四架，每架六层，从中可见其规模。这个地区后取名为集灵囿。但从此以后，至宣统元年确定在集灵囿地区为醇亲王修建摄政王府，北堂及百鸟堂已拆毁无遗了。

从百鸟堂建立的时间和规模上看，可以说是北京地区最早的自然博物馆。

## 蔡元培谈博物馆

顾颉刚

蔡孑民(元培)先生在社会改良会演说(民国六年四月三十日，在中央公园)云，立博物馆有三

利:一,备列各种模型,使不知此科学者,亦得备常识。二,人类博物馆一方面,凡原人至今文明程序次第陈设,俾见进化而兴取舍(如钻木之火,及火石、蜡烛、灯油、电灯等,均在灯类)。三,多观美术品,使脑髓清爽,趣志高尚。

## 京师图书馆

顾颉刚

京师图书馆原定设天安门内，嗣因布置未竣,先设于安定门大街方家胡同,以夏穗卿为馆长(吾校理科学长夏元瑮,即其子)。广告谓备文津阁《四库全书》六千一百四十四函,敦煌石室唐人写经八千卷，宋元精椠暨旧钞本一万二千册,普通书八万册。惟写经及旧椠纸脆易损者,不供阅览。民国六年一月二十七日开馆,予偕君武、介泉(即狄福鼎、潘家洵,均北大同学)往观《永乐大典》、宋刊《文苑英华》、《册府元龟》(二书皆蝶装),《宣和博古图》、《尚史》等书。

京师图书馆藏书,除内阁书外,以归安姚氏书、海虞瞿氏书为最多。予怪瞿良士誓守先籍,何以藏之京师。孟槐曰,清代末叶创图书馆,令瞿氏出其藏书,瞿君因雇抄胥,择若干种书,抄成副本。而供其原本于京师也。

又,宣武门内通俗图书馆,凡小说、教科、杂

志、报章以及新近出版之书，无不具备。予曾往二次，座上无不满也。每日可六百余人。教育部查禁淫书，皆通俗图书馆所呈报，往往不能知其名，其搜罗广博可见。尚有京师图书馆分馆，在琉璃厂附近香炉营四条。

又，据练为璋(苏州中学同学)云：高等师范凿地得金代钱百数十枚，分十一种(北京为前金都)伊以三百文购之，陈列校中图书馆。

伊校图书馆，学生与教习合掌之，学生在书肆见善本，告诸教习，定其购店，须购则由校中付款。此法甚善。盖徒以买书事责之庶务与教习，必有偏囿，不如学生亦与选择，则合用较多也。

## 南洋公学及江苏省立图书馆

顾颉刚

上海南洋公学二十周年纪念图书馆募捐启有云："我国宋时，已令州县各置稽古阁，其后谓之学经阁，相沿至今。然率皆虚应故事，无裨学者。清代各省著名书院，如广州之广雅，江阴之南菁，藏书颇多，诸生朝夕披阅，类成高材，古学赖以不坠。"

南洋建筑图书馆，预算银六万元，占地七千方尺，储藏中外图书外，并陈列标本模型。发起人为王清穆、杨士琦、许世英、陈锦涛、范源濂、张元济、蔡元培、尤桐、章宗元、钮永建、李维格、杨廷栋、胡诒榖、陆梦熊、刘成志、林祖缙、徐恩元、傅运生、穆湘瑶、唐文治、沈庆鸿。

七月六日，予至沧浪亭(苏州)可园江苏省立图书馆阅览。馆在园中，轩敞清凉，在予所见图书馆中，地美可以第一，惜藏书少耳。阅览室分普通，特别二部，普通者座位茶水较逊；特别室略置新出书籍，及动植标本，竹帘藤椅，颇杀炎威。是日普通室无一人，特别室亦仅予耳。推其原因，盖有三端：地处僻南，非全城适中之点，一也；吴人舍老宿外，少年皆不愿观书，二也(社会事业，必为少年所喜，乃能发达，缘其兴盛气勇也)；书籍皆通行本，稍有积藏者，差能具备，不足邀老宿之顾，三也。是馆藏书，以学古堂书院及存古学堂书为基础。学古堂书目中，有黄梨洲《明文海》钞本一百二十册。予以传本极少，甚欲一见，而遍索书目，竟不可得。意当鼎革之际，殆盗去矣。仅此一种，可称善本，乃亦如是，无怪近时曹馆长(允源)以扫叶山房石印书塞补矣。予观书三种，一、段〔玉裁〕刻《戴东原集》，二、熊赐履《学统》，三、秦笃辉《平书》。《学统》、《平书》二种，皆在《湖北丛书》中。《湖北丛书》多有用者，当寻求之。

# 民国初年的启蒙教育

顾颉刚

与介泉论训蒙之道。介泉曰:"予幼岁居京,时彭翼仲初发行《京话日报》,为白话报之先声。予肄业小学,每放学归,辄就门前买之,坐门槛读,既了解其义,兴致津津,未曾一日忘也。观之既久,文笔亦渐通顺。今思文字得益,乃不在于学校而在于白话报,彭君之功大矣。"予曰:"予年十二三,志气奋张,喜读梁任公(启超)书,如《中国魂》、《武士道》、《自由书》、《新民丛报》,均约略可背诵。因读梁氏书,遂喜览报纸,报中社论,时亦可背诵也。时与姚幼琴同读,馆中经岁无师,以故读梁氏书益熟,好论时事,陶师、包师出经义题,所作未称善,而独于论时事之作,则交誉之,以为奇特。犹记从陶师时,自作《近代官吏论》一篇,为师所见,评曰:'作者于经义素不用心,而此作特慷慨言之。'云云。从包师时,因沪上会审,公堂大闹,江督到沪查办,出《送江督》文题,予文为包师评百分,时称道之,以为奋发,公立高等小学入学试验题为《征兵论》,予文列第一。可见梁氏之文用以鼓励爱国心及开长童子文思,有莫大之功效也。"据此二事观之,则蒙童读书,第一在有兴,第二在了解,第三在近

代事，第四令其得闲自为，虽白话，亦可驯致于文也。盖儿童好勇，故须以气势磅礴之文以鼓励其兴致。

# 民国初年的学校

顾颉刚

士慧表弟谓："工业校内，考入颇易，而既入以后，程功极速，颇有不能追踪者。"予谓，近日教员，好高务深，并非实有此才，谋学生之进益，其所职志，不过欺参观、媚校长、造成绩、固地位而已。故课本屡易，见进学之速，与一己才调之高也。有删节，有中止，避难而就易也。试卷既改，必又誊而又改之，以为成绩会，一经指点，便无瑕谪，善修辞也。窃告学生曰，今日某氏当来参观，凡秩序之紊者易以整，凡课本之浅者易以深，使观者赞其业邃而物备也。将考之先，揭告诸生曰，是课当考，当预备，余则姑置；或录十数题曰，是中必有五六题为考中所用者，使试绩靡不完，学生靡不喜也。校长好名，则教科定高等书，校长务实，则教科定普通书，使校长引为同心也。课堂无所语，乃抄掇杂籍，于黑板大书之，令学生录焉，一小时间，去其四之三，不知者以为先生博矣，知之者笑以为敷衍也，国文定籍，或有难字，类书在手而不能检，则废定籍，发单

篇，惟意所择，将极浅晓者以终始之，诡于众曰，制器必尚质，质有不善，丹漆不能施也。是以桐城文派极盛于天下，自小学以至大学，莫不以为天下之美，萃极于斯矣，此亦敷衍之术也。其在外国文，则告诸生曰，今日各预备，凡某页至某页，明日之课，予将问焉；诸生惶惧检字书，弥缝既毕，明日教室之上，围而求解者鲜矣，此善逸者也。又有常日极缓而毕业期间则极迅疾，或竟中止，其课不完，亦通病也。其或故为高深，使诸生茫然弗理，无从为问难之言，而又心敬其有学，自责其愚，亦不敢越畔，此善尊者也。凡此等伦，虽非凡师皆然，而十亦得五六矣。

士慧又云，吾校教员，皆东西国毕业士也，往往教科书有不求甚解者，学生所问，亦曰，书上固如是言耳。其所以然之理，则无以应也。盖将课前为预备，上课后为游荡(槬蒲冶游)，其于学术，何有心神赏会之能？是以终不过计日而授课，观书而谕众也。

## 民国初年的留美学生

顾颉刚

裘毓麟《游美闻见录》云：“有一事敬告吾国有志自费留美之学生，于赴美之先，必须筹定数千元之经费，万不可惑于昔日留学生之报告，为

苦学生可半工半读，到美后可以工资充学费也。美人排斥华工甚，普通华工尚艰于得业，况学生乎？美国青年，凡有志而财力不逮者，可采半工半读之方法。若吾国留学生，则事实上万办不到。余在美时，亲见此项学生困苦艰难之情况。有时非人所能堪，且恐处境过窘，学业亦无成也。”裘氏之言如此，按圣陶（叶绍钧，私塾、小学、中学同学）述蔡孑民先生在沪上演说，亦提倡留学半工半读之事。未识欧洲情状，较美国如何。

# 民国初年的出版业

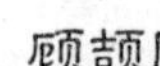

尝慨近数年来出版书之正当者，惟有教科美术二种，其说高深之学理者，竟至绝迹。与圣陶语之，圣陶曰：“书极善矣，而能观者不多，则销场必逊。销场之逊，非书贾所愿也，故凡以此等稿本求售者，辄屏去之，虽大贾如商务印书馆亦然，遑论其他。是以知高等之书籍，不出于世者，非无人能为也，乃出版书籍者，为利而不肯与谋耳。积斯因果，能为之人亦不思为矣，学术陵夷，其咎在书贾。”

予谓圣陶，此事当俟大学院中央学会既开，官立书局，不计销路之多少，惟察书籍之善否，乃克行之。今各省官书局，直隶竟无有，江苏亦恹恹无生气，惟浙局有人主持，既设图书馆二处，亦刻印新书数种也。余去年曾投函各省书局，索寄目录，仅有宁、苏、浙三处寄来，可见他省愈不振也。

## 民国初年的杂志

顾颉刚

近时月刊杂志何止百种，其可观者在政事上有《大中华杂志》(梁启超主撰)、《甲寅》杂志(章士钊主撰)二种；在学问上绝无。在教科上有《学生杂志》、《英文杂志》、《教育杂志》(商务印书馆出版)三种，(眉批：《学生杂志》到底不好，盖记事太琐屑，说理太庸浅，斯学生通病也。)在诗文上有《南社诗文集》(较优)一种；在小说上有《小说月报》(商务本)、《双星杂志》(叶楚伧、姚鹓雏、七襄中人编)二种。至于《国学杂志》(倪羲抱编)之谬托，《国学文艺杂志》(扫叶山房编)之谬托，《文艺眉语杂志》之谬托，《艳情》(高剑华编)、《礼拜六》之谬托，《改良风化》(中华图书馆王钝根编)、《丁悚》之谬托，《善画封面》(观之欲呕)不知谁何之谬托。尚有谬托刘石庵真迹者见《国学双星杂志》，斯均今日之怪现象也。

# 延边早年的文学副刊

刘北汜

我出生地吉林延吉县，虽地处东北边陲，但在十月革命和“五四”运动新思潮影响下，文风早开，远在 1928 年春，在延吉南四十里的龙井村就有进步文人关俊彦等创办了《民声报》，1931 年初停办后，该报部分编辑记者又于当年 8 月在延吉创办了《延边晨报》。到 1932 年秋我读初中时，两报已先后出过四种文学副刊：《荒园》、《晓风》、《蔷薇》、《晴波》；拓荒文学社、蔷薇文学社、青年文学社也先后诞生，都为开拓延边地区新文学处女地付出了精力，留下了令人难以忘怀的业绩。

《荒园》和《晓风》出版时，我还在读高小，只在“九一八”后，才在中学国文老师那里看到他零星保存的剪报。每期半版，作者中我还记得的有周玑璋、陶士非、李柔丹、牛启刚、袁亚忱等。我看到全貌的是《蔷薇》，当时已停刊，共出了一百八十多期，每期半版，分订成两本合订本，公开出售。主编牛启刚(罗培)，是《延边晨报》的副刊主任，作者中我记得的有包威、唐克义(杜兰诺)、李梦符(柔波)、沙野、崔龙男等人。

《晴波》于 1933 年春继《蔷薇》之后出版，仍由牛启刚主编，作者除蔷薇文学社成员外，又增加了异军突起的青年文学社的成员，主要有因手伤回到延吉家中休养的天津南开中学学生冯居悟(玲君、任选、亚芒)、我初中三同学韩伯祥(洛桑、徐零)、王适民(杜白羽)等。这个副刊，每期出版时，我都到学校图书馆去看过。发表的作品中，印象较深的，小说有亚芒的《穷人》、杜兰诺的《海兰江怒涛》、洛桑的《车夫的女儿》、《逃兵》；徐零的诗；评论有适民的《论作家与世界观》、《批判为艺术而艺术》等。《晴波》出到一百五十多期停刊，也出版了合订本。

约在1934年春，继《晴波》之后出版的《沙洲》，只出了十多期即夭折，原因是牛启刚离开报社，原有作者有的离开，有的停笔，刊物无法再继续下去。这时，由冯居悟、韩伯祥与《延边晨报》商定，又由他们二人在报上编了《银岛》副刊，同时邀我和同学宋振庭等加入银岛文学社，从此，我以路存、族怎为笔名，在《银岛》上写散文和诗，宋振庭也写过一些散文，冯居悟以冯杰为笔名，在《银岛》上开始连载中篇小说《北国的故事》。

当年暑假，韩伯祥初中毕业，与冯居悟同去沈阳，创办《文艺画报》(每期四开一张)，《银岛》改由我接编。年底，《延边晨报》停刊，《银岛》这个延边地区早期发表新文学作品的最后一个文学副刊出到五十多期，也告结束。第二年暑假后，宋振庭和我就到北平读书去了。

这几个早年的报纸文学副刊和文学团体的出现，对延边地区新文学创作的发展无疑起了拓荒作用，其中《蔷薇》和《晴波》上发表的作品，在内容上和写作水平上尤为突出，尽管还有不少作品不免幼稚，但两个副刊发出的作品中蕴藏的无产阶级文学萌芽的因素却是鲜明的，是应加以肯定的。

## 抗战前后的北平艺专

秦岭云

我国政府兴办西方模式的艺术院校，始于1918年的北京。艺校从1918到1934年，十六年间，先后断断续续改换过几次建制和名称：国立北京美术学校、国立北京美术专门学校、国立北平大学美术部和国立北平大学艺术学院。著名艺术家如郑锦、闻一多、余上沅、赵太侔、林风眠、徐悲鸿等，都曾先后长校于此；画家黄宾虹、溥心畬、齐白石、王梦白、萧谦中……诸名家先后执教，今日画苑不少高手，都出于此一学府，堪称桃李满天下。

经过一度学潮，1934年秋天，北平大学艺术学院以"国立北平艺术专科学校"为名复校。校址设西城西京畿道一处花木清幽的院落，新建了有宽敞明亮画室的教学大楼。学校设绘画系

(内分中西画组)、雕塑系、师范系、工艺美术系……由严智开任校长。教务：山东汪氏，训育：福建林氏。我所读的西画组，先后由留法的唐亮、常书鸿先生和留日的卫天霖先生任教。还有王曼硕课艺用人体解剖学，谭旦同课透视学，秦宣夫、苏民生课中西美术史，一美国小姐课色彩学……学校曾招生两届，同学二百余人，如张瑞芳、袁静(行庄)、萧琼(萧重华)、张谭(文山)、郭良夫、张民权、赵粹艇、李浴、卢光照、王半呆、李念淑等，都是当年的同学，"一二九"运动中的活跃人物。

"七七"事变，日军入城，北平艺专南迁江西九江庐山，复课于牯岭河南路一私人别墅内(今庐山博物馆址)。不久复下山循水路西入湖南沅陵老鸦溪，与西徙的国立杭州艺专合而为一，由林风眠、赵太侔、常书鸿联合主校。长沙大火，武汉告警，艺专继续西去，抵云南，复课于昆明文林街。继而北行，在重庆青木关松林岗、巴县盘溪开课，直到 1945 年抗战胜利，京、杭两院校又各返原地。在渝时，画家吕凤子、陈之佛、潘天寿都曾一度负责校务。

国立北平艺专复员返回当时的北平，先后以邓以蛰、徐悲鸿为校长接管了 1938 年敌伪政府所设立，由王石之、黄公诸主持的艺专(总布胡同)，一直到 1957 年，正式由人民政府改名为"中央美术学院"(帅府园)。

# 艺专同学演戏

秦岭云

北平艺专前身——国立北平大学艺术学院，原来设有戏剧系，改艺专之后，该系停办，而校中师生仍时有京剧、话剧活动。

1937年秋，艺专迁江西牯岭，师生陆续从沦陷区聚拢到庐山的近百人。当时战局紧张，大雪封山，同学们读书无心，赏景无情，画画没有设备，于是集中精力搞起抗日宣传活动。画壁画是本行，人人都能，且不去说。有一部分同学，是秘密的"民先"队员，就着手演活报剧，第一炮演的是正在流行的《放下你的鞭子》。这个独幕街头剧是同学张瑞芳在北平演出名的，角色道具不多，台词也容易串连，没有几天工夫就在牯岭礼堂演出，效果很好。卖艺女郎由山东同学由其凤担任，"高粱叶子青又青，九月十八来了日本兵"一歌唱得声情动人，余音至今难忘。

还在牯岭河南路那幢英式别墅里演出过《烙痕》，主角由赵粹艇(重庆前文化局局长张民权夫人)担任，演得有声有色。我口笨，只能操一口河南乡音，没什么角色好当，便被指定演个日本鬼子。不知从哪里找到一双黄色牛皮靴，鼻下用油彩画上一撮东洋胡子，一出场几乎惹得哄堂大笑,那是我在抗战时期第一次登台演戏。

1938年春天,学校西迁到湖南沅陵老鸦溪,临时校址位于沅江东岸,和国立杭州艺专合二为一。没有正式复课,闲散中同学们最爱去的地方有两处:一是沈从文先生家,那时他尚未去昆明西南联大任教,暂住在沅陵城内一座小山上他哥哥家里;一是校长赵太侔先生的客寓,滨江一所基督教堂内。校长夫人俞珊是著名演员,家中有京戏的文武场面,能拉能唱,同学郭良夫、李华钧等曾陪她一同演出过当时不许公演的《四郎探母》,轰动一时。

抗战时期,艺专同学多数加入了宣传战线。除了名扬全国的张瑞芳以外,郑曾祜(现在台湾,古琴名师郑颖荪先生公子)曾随金山赴南洋巡回演出,卢光照率三十三集团军(张自忠部)抗敌剧团,从台儿庄一直转战到鄂北等地。我拙于此道,说不上演戏,但也时常滥竽舞台,为人当龙套充配角,思念及此,不免捧腹。

## 《平复帖》曾在我家

王世襄

在《春游琐谈》中,有一篇张伯驹先生写的《陆士衡平复帖》,谈到他购藏此帖的经过。

伯驹先生最初在湖北赈灾画展览会上见到

此帖，当时为溥氏心畬所有。1936年他有鉴于唐韩幹《照夜白图卷》流出海外，深恐《平复帖》蹈此覆辙，托阅古斋韩君向溥氏请求出售，因索价二十万元，力不能胜而未果。次年又请张大千先生致意心畬求让，以仍索二十万元而难谐。是年岁杪，伯驹先生由津返京，车上遇傅沅叔先生，谈及心畬丧母，需款甚急。经沅老斡旋，以四万元得之。此后多年乱离跋涉，伯驹先生藏此帖于衣服中，未尝去身。直至1956年将此国宝捐赠国家，从此永留神州，为全国人民所有。宿愿获偿，实为他平生一大快事。

黄金有价，国宝无价。《平复帖》更是宝中之宝。我国法书墨迹，除去发掘出土的战国竹简、帛书和汉代木简外，历代流传于世且出于名书家之手的，以陆机《平复帖》为最早，大约已有一千七百年。董其昌曾说过："右军(王羲之)之前，元常(钟繇)以后，唯存此数行为希代宝。"何况刻在《三希堂法帖》位居首席的钟繇《荐季直表》原非真迹。而且此卷自从在裴景福处被人盗去后已经毁坏，无从得见。故在传世的法书真迹中，自以《平复帖》为第一。伯驹先生酷爱书画文物，对此希世之珍，真可谓视同"头目脑髓"，故珍藏什袭，形影不离。

我和伯驹先生相识颇晚，1945年秋我由渝来京，担任清理战时文物损失工作，由于对文物的爱好和工作上的需要才去拜见他。旋因时常和载润、溥雪斋、余嘉锡几位前辈在伯驹先生家中

相聚，很快就熟稔起来。1947年我在故宫博物院任职时，很想在书画著录方面做一些工作。除备有照片补前人所缺外，试图将质地、尺寸、装裱、引首、题签、本文、款识、印章、题跋、收藏印、前人著录、有关文献等分栏详列，并记其保存情况，考其流传经过，以期得到一份比较完整的记录。上述设想曾就教于伯驹先生并得到他的赞许。

为了检验上述设想是否可行，希望找到一件流传有绪的倾赫名迹试行著录，《平复帖》实在是太理想了。不过要著录必须经过多次的仔细观察、阅读和抄写记录，如此珍贵的国宝，伯驹先生会同意拿出来给我看吗？我是早有着被婉言谢绝的思想准备去向他提出请求的。不期大大出乎意料，伯驹先生说："你一次次到我家来看《平复帖》太麻烦了，不如拿回家去仔细地看。"就这样，我把宝中之宝《平复帖》小心翼翼地捧回了家。

到家之后，腾空了一只樟木小箱，放在床头，白棉布铺垫平整，再用高丽纸把已有锦袱的《平复帖》包好，放入箱中。每次不得已而出门，回来都要开锁启箱，看它安然无恙才放心。观看时要等天气晴朗，把桌子搬到贴近南窗、光线好而无日晒处，铺好白毡子和高丽纸，洗净手，戴上白手套，才静心屏息地打开手卷。桌旁另设一案，上放纸张，用铅笔作记录。已记不清看了多少次才把诸家观款、董其昌以下溥伟、傅沅叔、赵椿年等家题跋、永瑆的《诒晋斋记》及诗等抄录完毕，并尽可能记下了历代印章。其中有的极难识读。如钤在帖本身之后的唐代鉴赏家殷浩的印记，方形朱文，十分暗淡，只有“殷”字上半边和“浩”字右半隐约可辨。不少印鉴不要说隔着陈列柜玻璃无法看见，就是取出来在灯光照耀下，用放大镜看也难看清。《平复帖》在我家放了一个多月才毕恭毕敬地还给伯驹先生。一时顿觉轻松愉快，如释重负。经过这次仔细阅读和抄录，才使我有了一次著录书画的实习机会，后来根据著录才得以写成《西晋陆机平复帖流传考略》一文，刊登在《文物参考资料》1957 年第 1 期上，并经《故宫博物院藏宝录》转载。

将《平复帖》请回家来，我连想都没敢想过，而是伯驹先生主动提出借给我的。那时我们相识才只有两年，不能说已有深交。对这一桩不可思议的翰墨因缘，多年来我一直感到十分难得，故也特别珍惜。仅此就足以说明伯驹先生是多么信任朋友，笃于道谊。对朋友，尤其是年轻的朋友想做一点有关文物的工作，是多么竭诚地支持!

我每想起《平复帖》就想起伯驹先生，怀念之情，久久不能平复。不，不仅是怀念之情，更多的是尊敬之意。伯驹先生是那样的珍爱《平复帖》，而最后他把《平复帖》连同其他名迹：唐李白《上阳台帖卷》、杜牧《张好好诗卷》、宋黄庭坚草书卷、蔡襄自书诗册、范仲淹《道服赞卷》、吴琚书杂诗卷、元赵孟頫草书《千字文卷》等倾家荡产换来的多件国宝一并捐赠给国家。说明他爱国家、爱人民，更甚于爱书法文物，这能不令人肃然起敬并终生怀念么？

# 广和居题壁诗

舒　諲

晚清流传都门，并在近人笔记中一再提及的所谓“广和居题壁诗”事件，这题诗之事还涉及我父冒鹤亭呢。

广和居是菜市口南半截胡同一家驰誉当时的南菜馆，特色以“潘鱼”著称，是传自工部尚书吴县潘祖荫(伯寅)家的郇厨，道道地地的苏州船菜。同、光间，北京名士诗人常于此小酌会友闲谈。后来这个饭馆早歇业了，连它的名菜也没流传下来。

广和居的两首题壁诗，都是七律，纯属文人一时兴到的打油诗，而所咏的事情却是清末脍炙人口的掌故——庆亲王奕匡纳宠著名女伶杨翠喜为侧室。第一首题为《咏江春霖参奕匡父子》，诗云：

公然满汉一家人，干女干儿色色新。
也当朱陈通嫁娶，本来云贵是乡亲。
莺声呖呖呼爷日，豚子依依恋母情。
一种风情谁识得，问君何苦问前因？

第二首是和诗,诗曰:

一堂两世做干爷,喜气重重出一家,
照例自然称格格,请安应不唤爸爸
(平声,应读滇语)。
岐王宅里开新样,江令归来有旧衙。
儿自弄璋爷弄瓦,寄生草对寄生花。

原诗据说出之于颜世清(绰号颜瘸子)手笔,而和作盛传是我父的戏墨。张伯驹老人对我谈起这件掌故,笑称:“诗写得尖刻而不带秽语,真是挖苦人到了家。”在张老所著的《丛碧词》集中有句:“一醉当时题壁”, 即指明是我父的作品,但我父亲对此缄默不语,未置然否。原作所谓:“朱陈通嫁娶,云贵是乡亲;”朱陈典出白居易《朱陈村》诗:“徐州古丰县,有村曰朱陈。一村惟两姓,世世为婚姻。”今用为两姓缔结婚姻之词。这里恰巧引用这个典故影射直隶总督滇人 (一说黔人)陈夔龙之妻,曾认奕匡为干爷,陈为此含恨,对我父不快,有“都门大有打敌意,知是诗人冒鹤亭”句。那时代文人互为戏谑,往往事后一笑了之,并不心存芥蒂。陈翁还是我结婚时的证婚人呢!

# 抗战前学生军训

秦岭云

北平艺专复校于1934年秋天,当时日寇压境,政局混乱,各大专学校都设有军事训练一课,教官由军事委员会北平分会委派。

男生一律戎装,制服分冬夏两套。冬天为藏青色粗毛呢中山装,学生帽;夏天,浅棕色卡叽布,上身西式开领,系黑领带,裤子下半一排钮扣束腿,一如猎装,不伦不类,颇觉可笑。经常在大门外网球场上操练,配有木质假步枪,枪有扳机、准星、栓膛,拨弄起来,叭叭作响,如同真的一般。每逢持枪上肩,按一二三四边喊边走,精神上颇有威武之感。所学项目,不外乎立正、稍息、左右转弯、齐步、跑步之类。教官前后由成其事、侯某担任,都是黄埔军人装扮,着后跟带刺的马靴,腰佩短剑,尉官军衔。他们平日和同学嘻嘻哈哈,在女同学面前更是分外温和,而一旦出现在操场上,居然一派军人气概。

记得一个风雪天,大家被带到阜成门外一个长满荒草的土岗上,说是演习遭遇战。兵分两路,几声嘶喊,匍匐前进,继而冲刺搏斗,弄得个个泥猴一般。在雪地里啃过凉馍,最后唱歌凯旋回校,引得西四一带的老百姓驻足而视,不知所以。

1935年，还在德胜门外黄寺大操场上，集合全北京的大专军训学生举行阅兵典礼，黄杰亲临检阅。军乐声中，分列行进，很有点备战的气氛。

1937年暑假，大专学生集训于西苑兵营，领了武器，剃了光头，穿上灰色军衣，阵容、装备、课目、要求，俨然是正式军旅了。时隔不久，卢沟桥一声炮响，前功尽弃，大家都各奔前程了。

教官成其事，湖南人，是国民党新六军军长的侄儿，笔者于1938年春天，曾在湘西川湘公路上碰到他，那时他作为黄埔十三期学员，全副武装，正在山径上行军。原来在北平时，他不过是个冒牌军人。听说40年代他已在滇缅公路一次战役中阵亡，不知确否。

## 重庆大学生集中军训

尚爱松

1938年秋，抗日战争已历一载，我在重庆国立中央大学读书。国民党当局通令，四川全省所有的大学生，一律停课接受三个月的军事训练，名曰“集中军训”，分重庆、成都两地施行。重庆的高年级同学在南岸受训，一年级同学在歌乐山后受训，女同学则在重庆市内受护士训练。开学典礼群集重庆市内，听汪精卫、张伯苓等讲话。汪说：“你们要把铁炼成钢！”语气慷慨，滔滔不绝，真有如倾江河之势。张说："我是办教育的，你们都是我的孩子。国难当头，孩子们既要学文，也要学武。"语意剀切，亲如父兄，同学们很受感动。我们一年级共有六排，一排三班，各驻一村。排长由中央军校毕业"精明有为"之营长级者担任。前两个月要求极为严格，居住、饮食与卫生条件极差。为了抗战，我们毫无怨言，每日都一丝不苟地认真操练，男同学依照士兵之例，全都剃了光头。过了两个月，渐渐知道排长吃空名额，贪污军饷，又知道每排中派有特务，冒充从沦陷区来的大学生，对我们进行监视。有的还发威风，欺负人。同学们正义感极强，便把特务逐出，有的如我班之徐光照同学还打了特务。但操练时我们还是非常认真。结业以前半个月，约在11月初，重庆区中将总队长突然第一次来召集训话，派头很大。训话时第一次提到"蒋委员长"，我们遵照规定，全体起立。几分钟后，他又提到"最高领袖"，我们都未起立。这位中将便向我们大声喝问："为什么不起立？"记得中大农学院同学某君当即忿然站起，指着他问道："请问总队长，蒋委员长是不是最高领袖？中央明令规定，只起立一次，你为什么还要我们起立？"同学们都鼓掌哄笑起来，把这位中将弄得真是窘迫不堪，手足无措。幸亏有一位初次见面的大队长出来对同学们连捧带劝，同学们始行各自笑骂回队。跟着各排便推出代表，清查账目，把这些"精明有为"的军官弄得一个个不敢

出门,有时出门,见到我们也不敢抬头。不久,贪污的钱吐出来了,操练的事也不敢再提了。回校前十日左右,我们读书、寻胜、访友,自由自在,吃的也很好。听说高年级同学与女同学那里,有几处也查了他们的账,出了他们的丑。还有一事堪记:即军训三月,只学军事,不学政治。不料返校前约十日左右,突然来了一个上校政治教官,对同学们很客气,表面上讲抗日救国,暗地里却是拉人参加三青团。但绝大多数同学都不甚理他。返校后,我们高低班的同学们议论过当时整治这些"精明有为"的军官们,大概是同学们自发的正义行动,不一定是左派同学暗中领导的。三个月的集中军训,便是这样以庄严郑重始,以嬉笑怒骂终。以后,国民党当局便再也不敢搞集中军训了。以后,他们发展"党"、"团"、"社",都是分别在各校内秘密进行的。

四年大学生活,现在回想起来,绝大多数同学都具有极强的正义感。如对参加国民党、三青团的人都心存鄙视,或敬而远之;对左派同学则甚为尊敬。中大被敌机轰炸过两次,同学们奋力救火,抢救物资,把仇恨的怒火藏在心中,事过之后,几乎无人再谈轰炸之事。电线经常被炸断,同学们便自备蜡烛或菜油灯,各勤所业。夜间松林坡上,暗光千点,蔚为奇观。每个大宿舍中住有三百余人,却很少听到喧闹之声。这也部分地体现出中华民族的坚强意志和伟大气魄。此情此景,真令人忆念赞叹难已。

# 一次没有戏的演出

刘厚生　方琯德

1938年末，大约在圣诞节前后，重庆励志社(一个很有权势的官方团体，总干事是后来任国民党军联勤总司令的黄仁霖)举行一次酒会，招待各方显贵。他们要求国立戏剧学校在酒会后演一台戏。学校当局不得不答应，但进步师生却起了反感，大家吵着说，我们不是旧戏子，不能出堂会。但是迫于情势，只得带着一肚子怨气前去。

这时剧校刚刚建立了地下党支部，方琯德任书记。根据上级区委指示，我们向学校建议演陈治策的《干不了也得干》等三个较好的抗战独幕剧。演出当天下午，我们由助教郭蓝田带领到励志社礼堂，却被关进舞台旁的一间小房子里，旁边就是厕所。近三十人挤得动都没法动，但大家还是忍住了气。到晚八点才开始宴会，到场的有宋美龄、蒋介石顾问端纳、黄仁霖以及各方显贵和不少外国人。他们一个一个地讲话、碰杯敬酒，一道道上菜，喧哗闹笑，拖拖拉拉，一直到近午夜十二点。而我们却从下午起直到此时没有吃，没有喝，又不许出去。大家饥寒交迫，激愤异常，都想立即罢演回去。我们在场几个地下党员迅速商量了一下，考虑到罢演恐怕走不出去，不

如换一种方式以示抗议。于是,等外面通知我们开演时,大幕打开,只见台上并没有布景道具和演员,而是二十几个学生和个别教师排队站立,每人手里都捧着各种演剧用品,面色严肃,一言不发。等到台下惊奇地静下来,便由郭蓝田代表全体师生,按照我们商量好的计划,激动地讲演起来。大意说,我们学生今天来参加这个晚会,是为了宣传抗战,却把我们关在后台厕所八九个小时。这里吃喝宴会,前方战士却在流血抗战,不知苦难要挨到什么时候。因此我们无法演出,现在我们举行义卖,支援前方……这时台下在惊讶之中竟然响起一二掌声,似乎赞赏我们的行动。坐在第一排的宋美龄愣了一会儿,大概明白了过来,大叫一声"这是怎么回事?"怒气冲冲地转身走了。端纳披着一件黑披风紧随而去。我们在台上喊着向英勇战士致敬的口号,举着桌布、茶壶等继续义卖。台下哄然而散,只剩下黄仁霖一人坐在台下,气得脸变成泥土色,一句话也说不出,最后喊了一声"明天找你们校长去!"

这次罢演在学校师生中引起很大的反响,大家都认为我们干得好。区委也表扬了我们支部,认为坚持了正气。只是学校当局感到十分为难,把我们叫去训了一通,说我们太荒唐。但因我们确实吃苦受气,罢演斗争又得到带队教员的支持,校方也无可奈何,只好不了了之。

# 到周公馆送行

刘北汜

抗战胜利后第二年秋天，我从昆明到上海，进《大公报》当编辑。当时，我的好友、昆明西南联合大学同学王凝(王铁臣)也到了上海，在马斯南路一〇七号(今思南路七十三号)中国共产党代表团驻沪办事处(大门上钉的铜牌上书“周公馆”)工作，我曾多次前去看他。

到沪不久，王凝的长篇小说《死的徘徊》(署名田堃)脱稿，由我介绍给中兴出版社。不料书刚排好，正待付印之际，1947 年 3 月 1 日的报上忽然登出一则消息：国民党当局无理限令办事处中共成员撤离上海。

我很着急，立即赶往浙江路中兴出版社，找到该社经理韦秋声，为王凝预支出《死的徘徊》全部稿费，然后赶往马斯南路周公馆，想再见一见王凝，同时把稿费交给他。没想到按铃叫开了门，竟被守在门内的几名便衣人员拦住，再三盘问身份、前来目的之后，竟不准我入内，砰然关上大门。

事后，我同报社采访部副主任、专司采访国共和谈消息的周雨谈起这件事。他说，办事处坚持到最后的一批中共党员，王凝也在内，已定 3 月 5

日离沪。他和采访部主任李宗瀛将于3月4日下午去办事处送行,要我以记者身份一同前往。

那天下午,周公馆大门内外警戒森严,大门外便道两侧有十余名便衣警探环伺,马路对面中国妇孺医院门前也有便衣人员伫立,怒目注视前来周公馆的每一个人。门内南侧有一小长桌,围坐几名警察,看过我们三人的证件,又要我们一一在表格上填上姓名、身份、住址、前来目的,才放我们上二楼会客室。

这时,二十多平方米的会客室内已挤满前来送行的人,密探环立,气氛紧张,而办事处发言人陈家康神态坦然,周旋于来访者之间,或朗朗交谈,或放声大笑,或握手道别。夹在人群中的王凝,收到稿费,和我略事交谈之后,转身从邻室取出厚厚两部书,各四册,一部赠给我,是罗曼·罗兰的长篇《约翰·克利斯朵夫》;另一部赠给周雨,是托尔斯泰的长篇《战争与和平》;说是他新买的,送给我们作纪念。

这两部文学名著都出版不久,早已为不少读者所熟知,更为文学界所喜爱。不料我们携书出门时,又被守门警察拦住,把书要去,几个人神态紧张地边翻边嘀咕,竟要扣下,不许我们带走。经我们力争,说明是两部外国小说,哪家书店都有卖的,这几名警察才勉强地把书还给我们。

出门后我和周雨都很气愤。事后一想,当时正是全国人民纷纷集会游行,反内战,要和平之际,面对这一声势浩大的斗争而惊慌色变的既然大有人在，这几个把门小卒看到书名中的“和平”、“战争”字样也不由紧张惶恐，就他们来说，原也是正常的心情流露，我们也就觉得不足为奇，只好苦笑了。

# 上海戏剧界抗捐记

刘厚生

大约在1946年3月末4月初，所谓上海市政府决定把附加在演剧戏票上的娱乐捐提高百分之四十至六十，连同原先的百分之三十至四十(这个数字我记不准确了)，加在一起使得一张戏票的捐税达到百分之百，即剧场剧团每卖出一元戏票，就要加上一元捐税。这样剧团势必要提高票价，而提高票价必然要使观众减少，收入减少。戏剧界、特别是话剧界为此群情激愤，决心酝酿开展一次抗捐斗争。

这时，我随中电剧团刚从重庆复员到上海不久，一方面在剧团工作，一方面联系几个朋友为报纸编几个戏剧副刊。三四月间，我们已掌握四个阵地：梅朵已到《文汇报》工作，编了一个《演剧》；张石流大约由冯亦代同志介绍，在《世界晨报》编《每周戏剧》，他还在《前线日报》编《戏》；夏衍同志介绍我去见了一次唐纳，接编了《时事新报》的《舞台与银幕》。四个副刊都是周

刊，表面上虽由各人分别出面编辑，实际上相互通气，亲密无间。当时中电剧团是国民党中宣部所属剧团，但领导人倾向进步，为了剧团生存，也不能不参加抗捐。我们当时认为必须有舆论配合，造成声势，因此确定在四个副刊上同时各出一期“抗捐专号”，以向社会呼吁，扩大影响。

经过我们几个人分头约稿，四个戏剧副刊于1946 年 4 月下旬分别刊出“抗捐专号”，刊头下是一篇四刊通发的由我执笔的《编者齐唱》，略述苛捐杂税的重压和各剧团不得不抗捐的理由。在各刊发表文章的戏剧界知名人士有马凡陀(即袁水拍)、欧阳山尊、吴祖光、唐弢、柯灵、石挥等等。大家一致反对猛于虎的苛政，要求政府取消不合理的娱乐捐和减轻印花税。有的文章还旧事重提，提到抗战期间，在成都曾有一段时间，当局把演剧的娱乐指定名为“不正当行为取缔税”，经过戏剧界奋起反抗而被迫取消的故实。

这次抗捐，在经济上只取得了一定程度的胜利。当局先是采取拖的办法，随后物价飞涨，政治迫害加重，演剧的困难已不仅仅是票价的问题了。然而话剧界通过抗捐，同戏曲界密切联系，更加强了团结，从此扩大了进步影响，为以后的斗争打下基础，则是更有价值的收获。

# 上海反对“艺员登记”斗争

刘厚生

上海戏剧界在1946年三四月间抗捐之后，很快又开展了一场规模更大更尖锐的斗争。

这实在怨不得戏剧工作者多事。上海市警察局从他们的固有观念出发，忽发奇想，要举办一次“艺员登记”，指令上海的所有戏剧演员以及歌女、舞女都必须到警察局填写“艺员”表格、贴照片登记，还必须佩带他们特制的叫做“桃花章”的徽记。他们认为这些戏剧演员都以卖艺为生，与妓女同为“特种营业人员”。消息传出后，舆论大哗，整个戏剧界如同炸了锅似地暴跳起来，人人都觉得受到了莫大侮辱。党的地下组织认为有责任领导广大戏剧工作者展开斗争。于是以于伶同志为首(他当时是上海剧艺社的负责人)，同各话剧团、京剧(平剧)界以及其他剧种广泛联系，几天之内就商定要团结起来一致行动，并决定于5月12日举行全市剧艺界拒绝“艺员登记”委员会的成立大会。

当时话剧界没有有力的统一组织，只有一个剧作者联谊会，各剧团都是单独直接参加抗争。京剧界的组织是上海伶界联合会。其他剧种有沪剧、越剧、常锡文戏、江淮戏、淮扬戏、滑稽

戏等等，统一的组织叫游艺协会。由于话剧界进步力量强，于伶同志威信高，几个话剧团实际是斗争的领导力量；但京剧是最大的剧种，影响广泛，因此在成立大会上公推伶界联合会会长梁一鸣(著名老生，现在哈尔滨京剧团)为拒绝“艺员登记”委员会的主席，游艺协会的负责人董天民(已逝世)为副。我作为中电剧团的代表参加委员会。会上情绪激烈，人人发言指斥反动措施，决定一方面向警察局和其他有关单位送交抗议书，另一方面举行记者招待会，诉诸舆论，并在报纸上发表文章。

记者招待会于 5 月 20 日在四马路新利查饭店举行。梁一鸣在会上代表委员会致词说：为了维护艺人人格，不愿被人视同娼妓，一定要反对“艺员登记”。如果不取消“登记”，全市各剧团将一致罢演。戏剧界领袖田汉也在会上愤慨表示：想不到今天的政府当局还是把戏剧艺术家当作“王八戏子吹鼓手”，这是决不能忍受的侮辱。戏剧界的控诉得到新闻界的普遍同情，各报纷纷作了报道。

我们所掌握的几个报纸副刊，也积极发表文章配合宣传。现在我手边没有材料，记不住哪些人写了文章。只记得我自己写了一篇《艺员登记九问》，向反动警察局提出一系列质问。其中一问大意是，国民党要人张道藩常常上台演戏，比如 1938 年他在重庆第一届戏剧节的《全民总动员》中就曾扮演角色。请问，如果今后张道藩又发了戏瘾，到上海来参加一次演出，是否也要先办理“艺员登记”呢？

同时，我们还派出以董天民为首的代表到上海社会局，申明我们应属社会局社团管理范围，警察局不应乱管。这就争取了社会局的同情，孤立了警察局。

由于警察局此举伤人太众，连许多原来追随国民党的戏剧工作者也深感受辱，参加了斗争。由于全上海一万余剧影工作者紧密团结、坚持抗争的结果，终于迫使警察局取消了“艺员登记”，我们取得了完全的胜利。

# 孙墨佛在徐州

孙天牧

日寇投降后，先严墨佛先生应李济深、顾祝同邀请，由宝鸡至徐州，下榻花园饭店。适值徐州各界举行大会，庆祝抗战胜利，并悼念抗日名将张自忠将军。顾祝同(时任国民党徐州绥靖公署主任)请先严撰书大会巨幅布联，先严濡墨挥毫，一气写下了“乾坤正气平三岛，海岱雄风震十洲”这十四个大字，笔力豪放遒劲。有人问，世界上有五大洲，为何说十洲呢？先严说：“此乃浪漫夸大写法，有艺术性。”

1947 年春，先严与友人乘汽车游曲阜、邹县

后，返回徐州，国民党陆军总司令顾祝同为之洗尘。席间顾曰："墨佛大哥此次曲阜之行，见闻至广，对我军纪律，沿途老百姓有何反应？"先严说："虽未见到士兵有抓伕、抓车之举，但在返回路上，经过邹县亚圣府门口下车时，有一群儿童齐唱道：'想中央，盼中央，中央来了一扫光！'这倒是个值得深思的问题！"顾赧然敛容说："即下令宪兵司令部和执法部门，严加督训，严加约束！严加惩处！"先严说："墨三(顾祝同字)！我看军纪松弛，倒是你们维系部队的纽带或法宝，否则谁跟你们干？你们纪律一严，恐怕士兵就各自东西，跑回家种地，或者投向八路军了！"

# 宫廷礼俗杂谈

朱家溍

“请安”，一般都认为是满族特有的礼节，其实并非来源于满族。这原是明代军礼中的一项，见于《大明会典》。当时全国各指挥使司、各卫所都有这个礼节，称为“屈一膝”。建州卫当然也是如此。到了清代，在八旗和明朝遗留下来的绿营中仍然沿袭旧习。本来，兵士见上级军官应该下跪，但因为身上有甲胄，只屈一膝或屈半膝。久之，不穿甲胄时也以屈一膝为礼，并和叩首、打恭一样，含有问候请安的意思。于是在八旗人家和部分汉族官宦人家，晚辈见长辈、平辈中幼见长,奴仆见主人乃至亲友相见,都行这个礼了。所以“屈一膝”又叫“请安”。但在衙门或公共场所,譬如各部司官见堂官、在大堂上回公事或请画稿 (即批示公文), 则不论旗人汉人都行打恭礼,不能请安。在社会上,譬如商人,对顾客固然不请安,即使对东家也不请安,见面只能作揖。话剧《茶馆》中的掌柜在茶馆向东家请安,顾客松二爷向王掌柜请安, 并且连续请安, 问太太好,问少爷好,剧中大德子左右换腿请三个安,这都不符合旧时的实际情况。

男子请安的姿势是这样: 先端正姿势,如“立正”的样子。然后向前迈左腿,左手扶膝,右手下垂,右腿半跪,略微停顿;眼平视,不许低头、扬头或歪头;双肩平衡,不许弯腰,左右腿的间距不可太大,保持左腿向前迈的自然距离,不可向后蹬腿。

女子请安姿势与男子同, 只是左右腿的距离要近,动作幅度小,双手扶左膝,右手不下垂。近年电影、电视剧中出现的请安姿势, 不论男女,几乎没有一个对的。

“跪安”这个礼节行于皇宫和王公府第以及宗室家庭中。皇帝每日召见军机大臣之外,常常还要另外召见某些官员,这是属于密谈性质,不同于朝会大典,所以官员见皇帝不必叩头。召见的程序是这样:先由外奏事处登记,再由内奏事处安排在某日第几起。皇帝吃早饭时 (天尚未明),桌上摆好绿头签,饭后分起召见。有合在一起(如与军机大臣一起)的,有单独的。譬如在养心殿东暖阁,皇帝坐在前窗的木炕上,太监们都退出。内奏事处太监带领应召官员来到暖阁门前,掀起帘子让官员进去,太监退到殿外。这位官员进门,站着说:“臣某人恭请皇上圣安。”然后跪安、起立,走几步到皇帝面前,再跪在一个红边白心很厚的毡垫上奏对。奏对完毕,皇帝说:“你下去吧。”于是官员起来跪安,面对皇帝倒退几步,转身出门。如果在奏对时有谢恩的事,就在原地一叩,说:“谢皇上圣恩。”如果在奏对时说错了话,就摘下帽子,以头碰地一下,表示承认错误。

皇帝日常晨昏定省、见皇太后时,进门要跪安,退下时也跪安。

太监有事向皇帝、太后、皇后、妃嫔等主位启奏,王公府第及宗室家庭中晚辈见长辈,奴仆见主人,都要跪安。

跪安的姿势和请安的姿势,相同部分是先端正姿势,左腿向前迈步。但跪安时右腿须全跪,然后左腿也跪下,右腿随即起来,左腿也起来,恢复立正的姿势。这一连串的动作要节奏均衡,不可慌忙,不可拖拉。其他和请安的要求一样。

清代后妃以下,公主、格格、福晋以及品官命妇(汉人品官命妇不在此列)穿朝服、吉服,行大礼,有一肃、一跪、三叩及六肃、三跪、九叩的仪节。(一肃是一次肃立。一跪是跪下和起立各一次。三跪当然就是各三次。三叩和九叩的区别,

也是次数的区别。)穿朝服、戴朝冠时的叩首和男子一样。穿吉服的在晚清不戴吉服冠，而戴钿子，则跪下之后不叩首，只以右手扶两把头翅。这里需要解释的是“肃”。这个动作和女子请安差不多，先端正姿势，慢慢地一直下蹲到底，再慢慢起来，恢复立正的姿势。也是要求不弯腰，不低头，两肩平稳，腰板笔直。京戏《四郎探母》中“盗令”一场，公主见太后时的身段，一般都说是请安，实际就是“肃”的规格。梅兰芳先生这个身段做的最美、最标准。

## 禀报的规矩

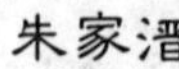

朱家溍

以清代和民国历史为题材的电影、电视剧中，经常有人大声喊：“太后驾到”、“皇上驾到”、“李中堂到”、“陆军总长王士珍到”、“委员长到”等等。几乎任何一个大人物出现时，都会有人喊“某某到”。这是与实际生活不符合的。

太后或皇上要到某一地点去，事先都有安排，到达时从来用不着下人大声喊，也没有这个规矩。太后在颐和园或西苑三海等园囿驻跸的时候，如果随意出去散步，事先没有安排，不论她走到什么地方，前引太监看见有人，只要用气声口哨“嘘”的一声，那人就会紧急回避。如果来不及回避，就面朝墙站住，等太后过去，再自由行动。“李中堂到”一语出自电影《甲午风云》中李鸿章到邓世昌的军舰上检阅的场面。关于本省总督来军舰检阅，乃是一件大事，没有临时在现场通报的道理，更不许连姓氏一齐称呼本省总督。

按过去的习惯，如有贵宾来访，在门旁当差的仆人便向主人当面禀报：“某大人拜会”，“某老爷拜会”。只要主人能听见就可以，不用大喊。如果是主人宴客，来宾很多，仆人也是面向主人用不大的声音说：“某大人到。”(不说“拜会”)在回禀主人时不能直呼客人的名或号。以前面提到的王士珍为例，只应说：“王总长到”，不能说“陆军总长王士珍到”。必须明确“某某拜会”或“某某到”，都是说给主人一个人听而不是说给大家听的，所以用不着提高嗓音。但也有一种特殊情况，例如清代六部九卿各衙门中，每一个部都设尚书满汉各一人，侍郎满汉各二人。这六个领导人不可能同时到部，有的兼任别的职务，有的要进内奏事。当六个人中的某一个到部进门时，茶役就到各司的窗外拉长声音说：“某大人到！”只有这种通报是给大家听的，目的是告诉各司：如果一个具体办事人员准备和某领导联系公事，听见通报后，就可以立刻去见他。

在外省，求见总督或巡抚的程序是这样：譬如苏州府知府来两江总督衙门拜见总督，必须预备一个禀帖，在辕门内挂号，由文巡捕手举禀

帖，到签押房向总督说："回大帅，苏州府禀见。"这时不用说苏州府知府姓什么，也不能说："苏州府到。"

"委员长到"这句话更是无稽之谈。抗日战争期间，我在重庆。当时每逢星期一，各机关都有"纪念周"。国民党中央党部的"纪念周"，是一个有很多部门代表参加的例会，每次都由蒋介石当主席。他进入礼堂时，大家已经站好，但没有人喊："委员长到。"赞礼人宣布主席就位，唱国歌，主席宣读《总理遗嘱》，然后由一个部门负责人作报告。最后赞礼人宣布礼成，主席和大家同时退出礼堂。

我还经历过一种集会，那是在重庆中央训练团的时候。全体受训人员在礼堂内列队集合，门外有个号兵。当蒋介石走近礼堂门时，号兵吹一声号，礼堂里面的队伍就立正，蒋进来之后向大家说一声"稍息"。也没有人喊："委员长到。"

# 堂会戏

朱家溍

北京在1929年以前常有堂会戏，就是在家里宴客演戏。如果住宅不够大，也有在会馆或大饭馆演戏的，都称为堂会。

在家里演戏，又有两种，一种是住宅里原有

戏台，一种是在院中由棚铺给搭临时戏台。住宅原有的戏台，也有两种类型，一是院中的戏台，一是室内戏台。我家旧宅炒豆胡同二十三号的戏台，是室内戏台之一种，即平时可作一般的五间大厅使用。其中两间的地面稍高，铺地板，当中置一槽隔扇。如果演戏，就把隔扇卸掉，作为戏台。马大人胡同西口内景贤旧宅西花园的戏台，也是这种类型。规模较大的是三卷或五卷式厅，内有戏台，如东四六条崇礼宅的戏台和金鱼胡同那桐宅的戏台。这两处构造相同，观众席中都穿插分布着几根大柱子。恭王府花园的戏台建造在一座船坞式的大厅内，观众席中没有柱子。戏台范围(包括后台)约占建筑面积的四分之一，其余面积为观众席。以上两种类型的戏台，都是四方形。

临时搭戏台，必须具备并列的正院和跨院。至少有五六十间房屋，才能在不妨碍平时家庭居住使用的情况下，选择一个最大的院落搭台，临近戏台的房屋则作后台，另外还要有为男女宾客分别摆席的大厅。摆席的大厅可以不在演戏的院落内。演戏院落的正厅作寿堂，东西厢房为女宾看戏的地方。院中搭棚，是男宾看戏的地方。这棚和戏台都用的是正规建筑材料，搭得像一座富有装饰性的剧场。来宾进入这座临时剧场，先到寿堂拜寿，主人照例在旁陪着还礼，然后招待入座看戏。院中来宾席的陈设方式是这样的：一张方桌，正面并列两把官帽椅，两侧各有两张大方凳。这一桌、二椅、四凳，合称一份“官座”。在正厅台阶下，左右对称各摆若干份“官座”，中间留出一条过道。桌有大红绣花桌围，椅有大红绣花椅垫、椅披，凳有大红凳套。在若干份“官座”的前面陈设若干排春凳(又名二人凳，相当于两张大方凳的面积)，一排一排地一直摆到台前，也有大红羽纱凳套，但不设桌子。午前开戏，晚饭后如果继续演出，习惯上称为“带灯”或“灯晚”。凡“带灯”则午晚两宴之外，还招待一次点心，称为“灯果”。不另设席，只是在看戏的地方每桌摆若干碟甜包子、肉包子、黄糕、小八件之类。茶则随时更换。

演戏有两种办法，一种是专约一个戏班，譬如：民国十年左右，可以约梅兰芳、杨小楼合组的崇林社，讲妥价钱，就不再有其他支付。另一种是请一个熟悉戏曲界的朋友做“提调”，托他单约某几个并不在同一戏班的名演员演某几出戏。这个“提调”也要约一个专业演员总其成，包揽这场堂会戏所需要的配角以及场面、戏箱等一切事务。记得我家演过几次堂会戏，有一次是用后一种办法，有几次是专约富连成，还有两次是白天约斌庆社，晚上单约几个名演员。

# 紫禁城里叫蝈蝈

王世襄

温室种唐花，元旦可以观赏盛开的牡丹；暖炕育鸣虫，严冬可以聆听悦耳的秋声。人工育虫，不知始于何时，但至迟晚明时人可能已有以此为业者，刘侗《帝京景物略》卷三《胡家村》称："促织感秋而生，其音商，其性胜，秋尽则尽。今都人能种，云留其鸣深冬。其法土于盆，养之，虫生子土中，入冬以其土置暖炕，日水洒绵覆之，伏五六日，土蠕蠕动，又伏七八日，子出白如蛆然。置子蔬叶，仍洒覆之。足翅成，渐以黑，迎月则鸣，鸣细于秋，入春反僵也。"

促织，即蟋蟀，通称蛐蛐，是北京冬日所养鸣虫之一，此外还有蝈蝈、札嘴、油葫芦、梆儿头、金钟等，都能用人工孵化培育出来，使之鸣于冬日。

早在清前时期，民间育虫的方法和冬日欣赏鸣虫的习俗便被引入了清宫紫禁城。康熙帝玄烨有一首题为《络纬养至暮春》的五律：

秋深厌聒耳，今得锦囊盛。
经腊鸣香阁，逢春接玉笙。
物微宜护惜，事渺亦均平。
造化虽流转，安然比养生。

上诗所咏的蝈蝈(络纬),不是天然的,而是人工孵育出来的。因为天然的秋蝈蝈,无论如何也活不到第二年的暮春。再读乾隆帝弘历的《咏络纬》诗并序,更有力地证明了这一点:

> 皇祖时命奉宸苑使取络纬种育于暖室,盖如温花之能开腊底也。每设宴则置绣笼中,唧唧之声不绝,遂以为例云。
>
> 群知络纬到秋吟,耳畔何来唧唧音。
> 却共温花荣此日,将嗤冷菊背而今。
> 夏虫乍可同冰语,朝槿原堪入朔寻。
> 生物机缄绿格物,一斑犹见圣人心。

弘历明确道出自康熙时起,宫中一直备暖室孵育蝈蝈,设宴时用不绝的唧唧之声来增添喧炽的气氛。值得注意的是宫中的蝈蝈用锦囊或绣笼来贮养,而民间却用的是葫芦。这是从乾隆时人的诗文中得知的。潘荣陛《帝京岁时纪胜》称:蝈蝈"能度三冬,以雕作葫芦,银镶牙嵌,贮而怀之,……清韵自胸前突出。"扬米人有一首作于乾隆六十年的《都门竹枝词》:

> 二哥不叫叫三哥,处处相逢把式多。
> 忽地怀中轻作响,葫芦里面叫蝈蝈。

不过笔者相信乾隆之后不久,紫禁城内也大量用葫芦来养叫蝈蝈了。我们只要看乾隆以后大型匏器不再模种,而从道光时起,宫廷和王府大量范制蝈蝈葫芦,至今还有多件实物传世,便可深信不疑。

承世代以育虫为业的赵子臣见告,其父曾

听太监道同、光间事。元旦至上元，宫殿暖阁设火盆，烧木炭，周围架子上摆满蝈蝈葫芦，日夜齐鸣，声可震耳，盖取“万国来朝”之意。所说虽不见记载，但国事日非，还妄自尊大也十分可笑，可怜，联系前面玄烨、弘历的两诗来看，似属可信。

正因紫禁城内有冬日玩叫蝈蝈的传统，我们自己摄制的电视剧《末代皇帝》安排了这样一个镜头：坐在太后身旁、面对跪地诸大臣的溥仪，由怀里掏出一只葫芦，蝈蝈从里面跑了出来。笔者认为这是合情合理的。不过有一需要指出，那只镶象牙口、配硬木框、安白色蒙心的葫芦，是养油葫芦用的葫芦，而不是蝈蝈葫芦。这两种葫芦有很大的区别。蝈蝈由于生活在草木丛中，高离地面，所以葫芦里面是空的。正因其空，口上只安体质很轻的瓢盖，不安框子和蒙心，以免头重脚轻而易倾仄，而且瓢盖也有助于发音。油葫芦则因生活在地上或穴内，故葫芦内要垫土底。有了土底，它才可立稳，口上就可以安框子和精雕细刻的蒙心了。

以上极为琐碎的细节，自难要求电视剧的导演和顾问都清楚。但近年在海外的古玩广告和拍卖图册上，往往可以看到贮养各种鸣虫的葫芦。但是，由于他们分不清是养哪一种虫的葫芦，一律被标名为 Cricket Cage(蟋蟀笼)，而且几乎所有的蝈蝈葫芦都被安上象牙框子和高起的蒙心。这不禁使人感到卖货不识货的可笑了。

# 春节假日之由来

朱启钤　文　李彝陵　改写

百节年为首。在中华民族绚丽多彩的节日中，最盛大、最富有民间特色的节日莫过于过年。中国民间过除夕、正月初一、初二、初三，已有几千年历史。

“年”节的定型始于汉。在汉代以前，每逢帝王换代必更换月份顺序，因此过年的时间也经常改变。至汉武帝时，见历法不准，出现“朔晦见月，弦满望高”现象，命司马迁、落下闳、邓平等人作《太初历》，以夏历正月为岁首，并将二十四个农业节气订入历法。自此开始以阴历正月为首月。当时，由于“休养生息”政策的推行，经济繁荣，社会稳定，百姓生活情趣丰富多彩，每逢除夕和正月开初节日期间，上自帝王宫廷，下至荒郊鄙野，无不呈现一元复始万象更新的庆贺气氛。自此，历代相沿，均以正月初一开始过年活动，延续两千多年以至清末。

辛亥革命后建立民国，为便于国际交往，利于财会计度，通行阳历纪元，以公历 1 月 1 日为元旦。但民间习俗仍以阴历除夕和正月初一作为年节。袁世凯任总统时期，内务部部长朱启钤上书《定四季节假呈》，其中有云：“我国旧俗，每于四时令节，游观祈献，比户同风，固作息之常情，亦张弛之至道”,“应明白规定,阴历元旦为春节，端午为夏节，中秋为秋节，冬至为冬节。凡我国民均得休息，在公人员亦准给假一日。”从此，每年阴历正月初一即称春节,并享有假期。

## 段祺瑞与顾水如

平　凡

段祺瑞当国时,政事余暇,喜下围棋,麾下僚属多不擅此，围棋国手顾水如，曾被延入幕中,颇受青睐。

时值南北议和,举行善后会议于上海。双方代表皆军政要员，顾以与段接近，得任北方代表。

在我国历史上，围棋高手虽有因技艺超群得与最高阶层对局,如皇帝之“围棋待诏”,然职位甚低,仅陪皇帝消遣而已,除唐顺宗时之王叔文外,未有稍涉政务者。相形之下,顾以围棋侍从,公然得任北方议和代表,足令棋坛惊异,一时传为佳话。

段本武人,颇娴文事,其棋艺实未窥堂奥。惟以地位既尊，又兵权在握，侍弈者或畏其威势,或有所干求,其技劣于段者败北固不待言,即技高于段者亦佯为不敌，故段每战必胜。段不知人之让己，颇为自负；社会上不知内情或不解围棋者亦以为段真为此道之高手。

顾于段，每怀知遇之感，虽称雄枰上，而与段对局则每战必负，博段欢心。惟以国手而常败，又不能明显让步，使段察觉，故如何操纵局中棋形之发展变化，使己方自然崩溃，实非易事，顾为此必须费尽心机。据云他在己方阵中既不过于明显造成破绽，又能因势利导，使段棋顺流而下，自然走出杀着，一举歼顾大棋。事后顾又故作悔恨之态，检讨此局得失，并请段指出其谬误。其用心可谓良苦。

段失败下台后，晚年卜居上海。顾亦住上海蒲柏路，月恒数往段宅侍弈如昔。段晚年昏愦益甚，弈必求胜，负则大怒。顾每弈必让，以博其欢心。按围棋规则：棋力不等则须让子。最初段让顾二子；二子又屡败，晋为三子。直至晋为四子，实不能再让，盖再让则启段疑窦矣。此后段颇踌躇满志，顾始令互有胜负，渐使旗鼓相当，借以掩盖真相。

但此事终不能秘。棋坛人士闻之，以为亘古迄今，国手被让四子，又怎能称国手？因坚请顾复二三败局见示。顾不得已，勉复数局。观者笑声不断，至其中“引人入胜”之处，则无不捧腹。顾之故弄狡狯，令人叹为观止。

段长子骏良，棋力颇强。尝与顾对局，顾让骏良三子，便成劲敌。骏良偶与乃翁对弈，了不相让，每弈必大胜。段虽恚怒而无如之何，惟借他事詈之，当时亦传为趣闻。



# 顾水如创上海围棋社

平　凡

顾水如晚年在上海蒲柏路创上海围棋社。资望既深，当时国内名手来归者有过旭初、过惕生、潘朗东、吴祥麟、宋温善、张恒甫等。上海围棋社之成立，东南高手虽未全参加，然有上列诸人入社，一时声势，国内无俦。

围棋社成立后，旋由上海《新晚报》发布消息，广征社员。社员每人每月交费二元，在社中可享受各种对局及学习之权利。围棋爱好者闻讯后，报名人数颇众。

上海围棋社创建之始，书坊中围棋书籍甚少，又多陈旧，而社中之一大特点，即书架上陈列之我国围棋古籍甚多，而且还陈列着载有棋局之日本报纸及一定数量之日本棋书，使社员得以自由翻阅，学习称便。

社中书籍来源终年不断，多由称霸东瀛之我国棋手吴清源邮寄。吴当时正在鼎盛时期，而吴在少年时，曾由顾水如指导其棋艺。吴艺虽后来已远高于顾，而师生之情谊如昔。所以日本每出新棋书，吴必寄顾，顾收阅后便拿来公开陈列,供大家借阅。

上海围棋社是以“分”定等级。导师的等级由社中公议决定,记得是:顾水如一百分,潘朗东、过旭初九十五分,吴祥麟、过惕生、宋温善为九十分,张恒甫为八十五分。至于普通社员之定级,则由社长对局测验,当时社员最高分为徐某七十分。

按“分”定等级后,对局有一定规则:围棋对弈,强者执白子。同分者“互先”或称“分先”,即两局中一局执白,一局执黑;相差五分者为“先相先”,即对弈三局,分数高者两局执白,一局执黑;相差十分者让“长先”,即强者一方长期执白让执黑者先行;相差十五分者为“先二”,即强者一方在两局中一局让对方先行,一局让对方二子;相差二十分者让二子,余类推。

社中并举行比赛助兴。记得第一次比赛分甲乙两组,高分导师为甲组,其余则统在乙组中,甲组由一商人爱好者捐一大银杯,高二尺许,为冠军宋温善所得;乙组冠军是七十分级之徐某。

## 刘棣怀之崛起

平　凡

顾水如早年在国内弈称独步。至刘棣怀出,

棋坛始有“南刘北顾”分庭抗礼之局面。

刘棣怀江苏人，在校读书时即爱好围棋，课余勤研今古棋局，以颖悟不凡，弱冠已驰誉南北。肄业北京时，常赴高手云集之海风轩茶社弈棋。最初与当时北京号称第一手汪云峰对局，汪犹让刘一先。久之晋为“分先”。“分先”时汪殚思竭虑，初犹互有胜负，久之渐非刘之敌手。汪本以弈棋为业，平时恃与业余爱好者让子“下彩”维持生计。旧社会名手与低手对局，各有秘法，指挥如意，攻无不克，日可十数局，收入不赀。当时北京在国内亦属围棋重镇，名手有金亚贤、崔云趾、雷溥华等多人，虽棋艺大略与汪相埒，而棋坛点将，则一般推汪居首位。今与刘弈，长日苦战，不过一局又常居下风，既损令名又影响收入，自度上策莫如避战。故刘来求弈，迳行谢绝。北京在旧社会时，围棋颇为盛行，弈棋茶社尚有多处，在海风轩茶社，汪远见刘来，即起自他往。一时众人私语，谓汪已不敢撄其锋。

刘青年时已蜚誉棋坛，而享名更在顾水如上。以顾性褊急，评解棋局时，往往直斥人短，而刘则于复盘时语言温婉，闻者心折。又弈棋时庄容危坐，风度端凝，局中成败，了不形之于色。众以其有大将威仪，咸以刘大将呼之。久之，此中人无不知有刘大将者。

刘最初在南京教育部任一挂名闲职，每日在“公余联欢社”主持围棋活动。抗战军兴，随政府迁重庆。以位卑在部中无所事事，每日皆在临江路茶社下棋，以俸薪微薄，物价渐趋高涨，亦不得不“下彩”为生。当时常例犹为“二角二”，以刘负国手名望，对局费为“五角五”。

刘对局极慎重，虽对弱手，亦往往长时间考虑，谋求最良着法。以是每日对局不多，收入有限，远不如常例“二角二”者日弈数十局者之收入为多。

刘于解放后多次参加全国比赛，曾获全国冠军，后在上海市任围棋教练，培育人才甚众，其中陈祖德、吴淞笙皆取得九段棋手称号。

# 我国第一次围棋埠际赛

平　凡

30 年代后期，抗战前一年，顾水如创上海围棋社称雄海上，刘棣怀在南京公余联欢社领袖群雄。好事者初则倡议刘顾效清代范西屏施襄夏之当湖十局，以事非易举，又酝酿京沪对抗赛。因得有力者之赞助，遂达成协议，定期比赛。

比赛规定双方各出十人，主客场各战一次，先在南京，后在上海。此为我国有围棋历史以来首次埠际集团比赛，开数千年围棋界未有之创举。

战前众议纷纭，皆以为论实力则上海名手众多，显居优势，当能胜券在握。不意京华一战，事出意料，沪队负多于胜，刘棣怀执白后手胜顾水如。消息传来，棋坛震动。

第二战在上海举行，沪队破釜沉舟，努力奋战，终以胜多于负挽回败局。此役顾水如亦以执白后手胜刘棣怀。“南刘北顾”从此齐名，并称国手，佥无异议。

## 宋温善之夭折

平　凡

宋温善，湖北人。天资慧敏，幼年即爱好围棋，稍长受业于华中名手魏海鸿。十六岁时，在武汉已称无敌。魏鉴于宋在武汉难再提高，因谋之于顾水如，使赴沪寓上海围棋社，以便朝夕与名家切磋。在社按社章由顾水如测验，顾先让宋二子，顾败；又让宋执黑先行，胜负之数，颇为微细，遂定为九十分级。宋在沪进修，棋艺直线上升。在甲组赛中，先后击败全社高手，夺得冠军。

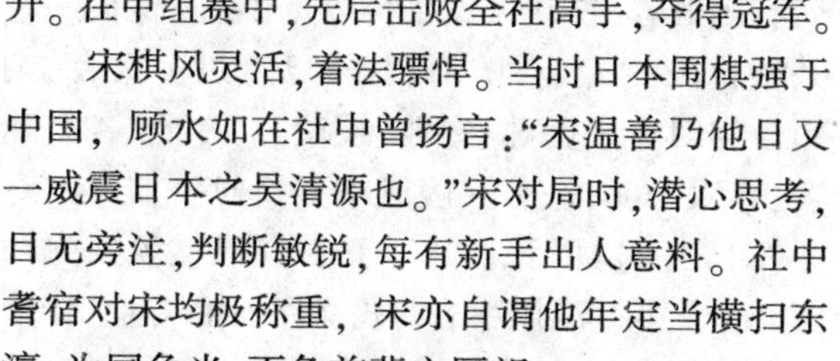

宋棋风灵活，着法骠悍。当时日本围棋强于中国，顾水如在社中曾扬言：“宋温善乃他日又一威震日本之吴清源也。”宋对局时，潜心思考，目无旁注，判断敏锐，每有新手出人意料。社中耆宿对宋均极称重，宋亦自谓他年定当横扫东瀛，为国争光，不负前辈之厚望。

抗战期间，日军进窥武汉，宋随家避难入

川。以情势紧急,交通工具缺乏,遂搭木船浮江而上。经三峡时,登岸助船工拉纤,宋肩上之绳索忽断,自十余丈悬崖上跌入乱石中,肉糜骨碎,时年尚未满十八岁。新星夭折,实我国棋坛之巨大损失。

# 天蟾茶楼下棋

平 凡

30 年代的上海,除有人偶在公园中自携棋具于清静处对弈外,并无专下围棋的场所。西藏路福州路拐角处的"天蟾茶楼",特备有围棋若干副,供茶客对局,此或为惟一公开的下围棋处所,而且常有二三流强手于此下棋谋生。旧社会弈人身份低下,就业困难,每恃弈棋博升斗资为养家糊口之用。人们根据实际名之曰"专业棋手"。另有爱好围棋而水平不高,经济条件尚可而有闲暇者,纷往天蟾茶楼寻觅棋友。他们一登茶楼,即有"专业"上前招揽;已来过多次者,则由曾经对弈之面熟"专业"接待。"专业"各有熟客,界限分明,来客一般颇难更换对手,若与"专业"对弈,例须"下彩"。"下彩"钱数,须预先约定。由于第一流棋手有身份关系,而"专业"皆为二三流水平,故"下彩"不高,通常为二角二。其计算方法为输一局付二角,另外计算所负子数,

每子二分。例如一局棋负十二子，则二角之外，尚须付二角四分，共付四角四分。“专业”对来弈之“低棋份”，一般让子，惟不让至成为劲敌，以便可轻易取胜；更可多赢子数。例如实力相差六子者则只让四子，而对方亦以少让可以提高个人战斗力，故亦不太计较。有时“专业”大意，忽然“阴沟里翻船”，则来客之胜者因“专业”以此为生，通常只除去上局所负，或记帐，或不计。认真算账索款者并不多觏。“专业”中人亦有水平甚低，因生活无着，混迹“专业”借以谋生者，既不敢与“专业”竞争来客，又不敢与有一定棋力之业余爱好者相角逐，惟觅初学之人“下彩”。因棋力不高，收费只能下一角一，以其价廉，初学者亦乐就之。记得其中有绰号“阎王饼”者，因人咸呼其绰号，竟湮其真姓名。此人遇棋力低下者，则杀法凶狠如“阎王”；遇高手则了无应战之力，如饼饵之任人啖食。“阎王饼”之名，就是这样叫响的。

围棋爱好者至天蟾茶楼下棋，无论对“二角二”或对“一角一”者，每次所负以银元计均在一元至二三元之间。当时陋习，“专业”从不负责指导。爱好棋艺者之提高，端赖三番五次在同样棋形中吸取失败的教训，自行揣摩，而稍获进步。况“专业”中有少数人欺骗初学，甚至在局终计数时偷去对方棋子，以赚取不义之财，以是围棋爱好者颇为不满。

# 老北京的饮食业

王维环

清末北京一般饮食业大都集中在前门外，但到了辛亥革命后，东西城新开的饭庄、饭馆如雨后春笋，至“七七”事变前，京城内外大小饭庄、饭馆、饭铺已不下万家，成为抗战前北京饮食业的全盛时期。

当时北京的饭铺、饭馆、饭庄各有各的经营范围，分得很清楚。饭铺分为切面铺和二荤铺，切面铺包括包子铺、饺子铺、馄饨铺、馅饼铺，这些铺子都以面食为主；二荤铺主要是卖猪肉、羊肉炒菜，不卖鸡鸭鱼虾等高档菜。饭馆大部分都集中在繁华地区，饭菜大众化，可随时来便饭小酌。饭庄有两类，一类规模较小，只能供应两三桌日常酒席，也经常外出应堂会；另一类是大饭庄，能同时开一二百人的酒席，专办红白喜事，还可以办堂会。

30年代前，北京有很多以“堂”命名的饭庄，如东四的燕寿堂、北海公园的漪澜堂、地安门的庆丰堂、什刹海的会贤堂、东城金鱼胡同的福寿堂、前门外的惠丰堂和同兴堂、西长安街的忠信堂等，都是名噪一时的饭庄。得硕亭《草珠一串》竹枝词有一首道：“酒筵包办不仓皇，庄子新开数十堂。"并自注云:"包席处呼曰庄子,俱以堂为名。"可见昔日北京饮食业风气之一斑。

这些饭馆在管理上一般都较严格，不准职工怠慢顾客和敷衍工作,否则就得砸饭碗。当时北京有饭庄业商会,凡是因事故被解雇的人,其他饭庄都不能录用。相反,如果工作干得出色,打杂的可被提升为料青(择菜)、料馅;再干得好还可以被提升为帮案 (为灶上掌勺的师傅打下手、备料)。如果谁被老板看中,认为有前程,可以被培养成掌灶的。因此,饭庄职工干起活来都很认真、仔细、卖气力。

那时,饭庄从老板到打杂的伙计,一般都没有工资之类的固定收入，除了每天在饭庄就餐和每月一元钱零花钱外，收入全靠顾客给的小费。饭庄把小费累积起来,按月按工种分红。为了多分红,每个人对待工作都是很认真的。特别是饭庄的堂头(跑堂的领班)和跑堂的伙计,大多十分干练。顾客到了,无论散座、雅座客人,全靠跑堂的接待。客人落座,先是揩桌面,后摆筷子、调羹,再沏茶、递毛巾等,动作迅速麻利。接着就是报菜名点菜。点好菜后,高声报到灶口上,厨房按照点菜配料、烧菜,直到酒、菜、饭端齐,不用开单子,多少桌、多少样菜,都记得一清二楚,再忙也不会错。客人吃完后才算账,跑堂的数着盘、碗报账,脱口而出,干脆利落,不差分毫。这不是什么特异功能,而是平日练出来的硬功夫。每逢高级宴会,堂头都要站在门口迎候来客,无

论里面有十家、八家宴客,客人一进门,堂头就能顺利引到那家的筵桌上去。但跑堂光靠嘴皮子利落与和颜悦色还不够,走菜上菜要凭真本领,靠头脑灵活,真正要做到眼观六路,耳听八方。特别给宴会上菜,最见功夫。炸、炒、烹、煎、烩,先上后上不能乱了次序,眼睛要盯着桌子上客人吃的速度,耳朵还要听着后边灶上的进度。

当时这些饭庄的经营方式非常古板,各应一路大宅门,只办酒宴和堂会等大生意,小生意不做。办席烧菜大都是一路货,没有什么特色,并各守传统,山东馆不做南味菜;以烤鸭为主的饭庄,超出鸭子范围的炒菜一般不供应;只供应午餐的饭庄就不做早、晚餐。因此,这类庄子虽鼎盛一时,但到了后来,生意一天比一天差,逐渐不支而关门停业。

# 老东兴楼的生意经

王维环

北京东直门内大街路北,有一座两层楼的老字号饭庄东兴楼。这座近百年的老字号,旧址原在东安门大街路北现在的雷蒙服装公司处,是一座四合院式的饭庄。

东兴楼饭庄始建于清末,由安、何等三姓合股兴建,以安树堂领东。本来拟建一座壮观的楼堂,无奈饭庄北邻袁世凯宅第的后花园(今锡拉胡同铁路医院门诊部), 在袁府干预下, 楼建不成,只建起一处坐北朝南的两进四合院。

第一进院(外院)南边临街的一排房,是东兴楼的铺面房,共五间。明间是过庭(营业厅)。过庭正面供财神,右侧是包柜,会计在这儿记账、登记包席;左侧是栏柜,卖糖果水酒等;左右次间和配间是散座。院内东西厢房是厨房和料房(仓库)。第二进院(内院)正房(北房)七间,另有东西厢房,倒坐南房共十间,都是单间雅座,是东兴楼饭庄的主要营业区。内院左面有一跨院,东西南北房各三间,也是雅座。

临街铺面房前的东安门大街, 当时还是黄土马路,路边有明沟排水。这铺面房因地基高,所以门前修有八级台阶。门廊和房屋外檐箍头彩画,黑漆大门,门上有嵌字格对联,门楣横挂一块黑漆金字“东兴楼饭庄”木匾。房檐下悬挂几块黑地金字长条木牌幌子, 下垂数根红布条儿。木牌上的金字是“山珍海味,美酒佳肴,南北大菜,满汉全席”等等。

东兴楼饭庄开业后,买卖兴隆,名噪一时。1940 年, 饭庄又在马路斜对过增建了一座两层西式临街礼堂,坐南朝北,开始接待堂会。楼后四合院,有二十一间房,也都布置成雅座。

饭庄在经营上以“重经理,靠信誉”为宗旨,既售零星酒席和散座,也做家筵和堂会。所作菜肴,有地道的“满汉全席”京帮菜,又以山东福山传统菜为主。饭庄的老板、掌柜、掌灶、跑堂(堂倌儿)和小徒弟大多是山东福山人,手艺都过得硬。掌灶的师傅更以烹饪海味见长,爆、炸、扒、蒸,口味鲜嫩。汤更是有名,几乎所有的炒菜都要用“清汤”来提鲜。所经营的山东福山著名传统菜肴有:“白扒排翅”、“清蒸加吉鱼”、“龙凤双腿”、“扒原壳鲍鱼”、“生熏黄花鱼”、“油爆海螺”、“蟹黄海参”、“煎烹对虾”、“熗虾段”、“鸡茸干贝”等等。陈莲痕《京华春梦录》载有东兴楼饭庄名菜,以擅长清宫烹调技术相标榜。

东兴楼菜肴,选料严格。要买的鲜猪肉,跑外的(采购员)一早就要去猪市大街报房胡同“猪肉杠”选购。买鱼要到前门西河沿的鱼市选购。蔬菜每天则由城南的菜农挑着担子送来,一年四时不断。干鲜果品、山珍海味,也都选用上品。为了竞争,他们更注意薄利多销,价格比别的饭庄更低。30年代初,其他饭庄两元钱一桌的席,为四盘、八碗、一大件、一个汤。四盘是四个冷荤拼盘,八碗是米粉肉、丸子、鸡丁、樱桃肉、过油肉、扣肉等,一大件是一个三斤重的红烧整肘子,一大海碗汤。如果在东兴楼也是这样一桌席,却只卖一元钱,而且质量上乘,非常丰盛,七八个人往往吃不了。那时,东兴楼最高级的酒席,也不过是八元钱一桌的“燕翅席”,主菜是燕窝、鱼翅,配上鸡鸭鱼虾及干鲜果品等。因此,东兴楼的菜便以精致、丰盛著称。

除了门市营业外,东兴楼还外出送菜、办酒

席和堂会。顾客要菜少的,由饭庄打杂的提着食盒送去。要送成桌酒席的,由饭庄伙计、跑堂的挑着圆笼、红灶,和堂灶师傅一起到顾主家里或会馆里摆筵。大圆笼里装碟、盘、碗、匙、筷等,用雪白的台布包着,到时候往桌面上一摆,样样齐全。菜肴中的冷荤都早已备好, 往桌上一端就行。热炒菜先已在饭庄里切好、配齐,只要上灶一炒就可上桌。最后几道大菜也早在饭庄里烧好,只要一回锅就行了。外出送菜,饭庄并不加价。事毕,顾主随意给饭庄送菜的伙计一些小费就行了。另外,还有一种主要用来送礼的"一品锅",类似现在的火锅。火锅配菜价格,有一元钱、两元钱的不等。如果谁要用"一品锅"送礼,只消先到饭庄预定, 到时就由饭庄的伙计直接送到收礼人的家里。

1936年,六十多岁的老板安树堂病故,东兴楼由其子接管。以后因经营管理不善,到了1944年后已无法维持, 饭庄全部卖给了日本开发株式会社改做它用。1945年日本投降,房产充公,由国民政府接管了。

## 多伦小城

曹世钦

京剧《苏三起解》台词中提到的喇嘛庙,今

称多伦县，也称多伦淖尔，在张家口北二百多公里处。

多伦小城，南北长，东西窄，南多沙丘，北连草原。一条闪电河从城南分为两股，环抱全城，至城北合流而去。东西各有一座桥，通向菜园，东西菜园是两座很大的村庄，所产蔬菜足够全城数万人食用。

在三四十年代，城内多商业手工业，五六里长的东营子街，挨次是商店货铺。特产有口蘑、皮毛、香牛皮靴子、毡疙瘩(毡靴)、暗篓子(拾粪工具)和煮奶茶的大铜壶。每至春秋，蒙民赶嘞嘞车大批进城，卖掉各类皮毛、黄油、奶豆腐、奶皮子和蘑菇，买走点心、炒米、食盐、砖茶、火柴以及衣服、香牛皮靴子和大铜壶等等。所以，多伦小城成为北方牲畜皮毛与南方轻工业品的集散中心。

城内有两所小学，还有私塾。寺庙建筑颇多。三官庙、娘娘庙、山西会馆，均设戏台，有外地戏班来售票演出。城里人爱好京剧与山西梆子，演出时观众站在露天地里仰脸看戏，兴趣很高。城西北有东大仓、西大仓，是两处喇嘛庙(多伦名称由此而得)，规模宏大，清代建筑。每年六月十五日喇嘛盛节，在西大仓举办赛马会、学生运动会，城里商贾蜂拥而至。两处喇嘛庙均毁于战乱。城南有茶馆两处，一说评书、一唱西河大鼓，每日两场，场场客满。

城内多居汉、满、回民，四季主食为三熟莜

面(炒熟莜麦磨面,烫熟面做食品,蒸熟食用)。饮用水要用牛车从城外往城里拉来，按月向居民收钱。举炊则以干牛粪和木柈子为燃料。

农历十月以后,多风雪,河封地冻。少数家庭安装洋铁火炉,也烧干牛粪木柈子。多数家庭设火盆,从灶中掏出莜麦秸灰装入火盆,用力压紧,必要时再用铁铲一层层拨灰,呈现一层层红火，可以取暖。妇女们有时就在火盆中烧熟鸡蛋,烧土豆给小孩吃,守着火盆可以做针线活,度过寒冬。

人们外出,穿棉衣,套皮袄,脚下毡疙瘩,头上皮帽子。一直穿到来年四月。

民谣说:“喇嘛庙,三宗宝,莜面山药(土豆)羊皮袄。”可见多伦小城的民风。

# 正阳门城垣的改建

朱海北 作 李彝陵 改写

北京正阳门建于明永乐十九年(1421),原名丽正门，是明、清两代内城的正门，正统四年(1439)改名正阳门。它与南面的箭楼、北面的中华门坐落在一条中轴线上，组成了庄严宏伟的建筑群。旧时,城楼的中门专供御驾通行,官兵日常出入只能绕道瓮城东西两侧“券门”。北面的棋盘街宽敞开阔,白天为商贩聚集之地,夜晚常有人在此赏月、乘凉。清人有诗云:“棋盘街阔净无尘,百货初收百戏陈。”正阳门城楼正面分列两座庙。东面供奉观音大士,庙内原有明朝万历壬辰年竖立的《建筑都城碑记》和清书法家、刑部尚书张照的书法石碑。西面为关帝庙,也有一石碑,为明书法家董其昌手笔。正阳门和箭楼瓮城外侧为荷包巷和帽巷两条街肆,清人《都门杂咏》曾如此描绘:“五色迷离眼欲盲,万方货物列纵横。举头天不分晴晦,路窄人皆接踵行。”形容了当时该处商店林立,五色杂陈,百姓接踵而行的热闹景象。后来京奉、京汉两条铁路建成,箭楼东西两侧建立了车站, 正阳门前就成了北京客货运输的枢纽,车水马龙,十分拥挤。

民国三年(1914),先父朱启钤任内务总长期间,为改善正阳门前交通状况,曾向当时的总统袁世凯呈陈《修改前三门城垣》的方案,并于民国四年六月十六日付诸实施。正式开工时,先父手持一把重约三十余两的白银鹤嘴镐, 冒雨登上城墙,拆下第一块城砖。此鹤嘴镐的红木手柄上嵌有一道银箍,上刻“内务总长朱启钤奉大总统命令修改正阳门, 爰于 1915 年 6 月 16 日用此器拆去旧城第一砖,俾交通永便”字样。这一文物由先父珍藏,文革期间曾被抄去,发还前加贴“故宫博物院”标签。现仍保存于我家中。

正阳门改建工程须清运碴土八万八千多立方,由于将京汉、京奉两条铁路道轨延伸铺至东西瓮城根下,碴土就及时沿东西两侧装卸外运。

东线运往东便门外蟠桃宫，西线运到西便门外洼地，既平整了土地，又缩短了工期。

当年12月29日，工程全部结束，共费银元二十九万八千余元，其中包括偿付征用民房的拆迁费七万八千元。正阳门改建后改善了交通，美化了环境，拆下的旧料也物尽其用。千步廊的砖瓦木料均运至中央公园(今中山公园)添盖了一息斋、绘影楼、春明馆和董事会，为这座园林添了几处胜景。

## 中山公园奇石

黄　畬

在北京中山公园后河附近，环绕土山、井亭对面土阜与西南部大土山，各有云片石和太湖石作点缀。社稷坛东北路，也用太湖石堆积以作屏障。云片石一部分是1914年公园开放时由清河运来，一部分得自被毁后的圆明园。太湖石多由圆明园运取，其中奇石尤多。在公园东原来今雨轩前面陈列有太湖石一块，名青云片，高九尺，长十尺，周二丈一尺。它与现在颐和园乐寿堂前的青芝岫，合称“二青”，都是明朝米万钟的遗物。米爱石成癖，这两块石，相传系他自房山运到良乡，因米家破产，无力运至北京勺园，遗弃在荒郊。乾隆帝见到这两块奇石，非常喜爱，

就将青芝岫石运置颐和园，青云片石运置圆明园时赏斋前。乾隆帝称青芝岫为雄石，青云片为雌石，并题青云片七古诗一首云："万钟大石青芝岫，欲致勺园力未就。已达广阳却弗前，土墙缭之葭屋覆。意百里半九十里，不然奇物斯轻售。向曾辇运万寿山，别遗一峰此其副。云龙气求经所云，可使一卷独孤留。伯氏吹埙仲氏篪，彼以雄称此独透，移来更觉易于前，一例为屏列园囿。沏题三字'青云片'，兼作长歌识所由。有时为根叆叆生，有时为峰芳润漱。虚处入风籁吹声，穷中遇雨瀑垂溜。大青小青近相望，突兀玲珑欣邂逅。造物何物不钟灵，岂必莫厘乃称秀，事半功倍萃任赏，宣和之纲诚大谬。"在社稷坛西门外宰牲亭有搴芝石，状甚瑰奇，如灵芝然。高六尺，周八尺，上刻乾隆御笔"搴芝"二字。又在唐花坞的水池内有涵水石，自生绿苔，鲜艳可爱。传此石产自易县西陵山谷幽深处悬崖绝壁下，被急流穿灌，成玲珑体。以长处阴湿，地质松脆，涵水分甚多，故自生绿苔，呼为涵水石，此石即系石钟乳所化。在中山公园水榭西北小岛上四宜轩前，有一块剔透玲珑的太湖石，石的下部有两个半月形洞孔。石上刻乾隆帝题"绘月"二字，俗称绘月石，原在圆明园，园被英法联军焚毁后移至于此。又在西坛门外小土山南面有一块太湖石，上刻乾隆题"青莲朵"三字。乾隆辛未(1751)南巡杭州时在南宋德寿宫遗址看见此石，极为喜爱。浙江巡抚为运至北京，陈列在西郊长

春园的倩园太虚室院中，命名“青莲朵”。又唐花坞旁著名之兰亭石刻亦自圆明园移来。

# 后　记

《史迹文踪》是《新编文史笔记》丛书第三辑中的一册，中央文史研究馆编。

本书收录了顾颉刚、朱启钤、邢赞亭等已故名家的遗作，也有当今学者为本书撰写的新作。中央文史研究馆馆员的文章也占不小的比重。佳作荟萃，蔚为大观，尽管只有一百余篇，但上溯清末，下迄建国前，许多珍贵轶闻均属首次披露，史料翔实，信而有征，可以对近、现代史起到拾遗补缺的作用。

在编辑体例上，本书与丛书其他各册保持一致，栏目设置则略有不同，只设人物篇、往事篇、杂记篇三编，分别编排，而不另标细目。

本书编委除主编外，还有吴空、秦岭云同志。李宇凡同志担负了大量的编务工作，傅春然、陈思娣、陈文英三同志也做了不少工作，在此一并致谢。

编　者